Español

Cuarto grado

Secretaría de Educación Pública

Español. Cuarto grado fue desarrollado por la Dirección General de Materiales Educativos (DGME) de la Subsecretaría de Educación Básica, Secretaría de Educación Pública.

Secretaría de Educación Pública
Alonso Lujambio Irazábal

Secretaría de Educación Básica
José Fernando González Sánchez

Dirección General de Materiales Educativos
María Edith Bernáldez Reyes

Coordinación técnico-pedagógica
María Cristina Martínez Mercado, Ana Lilia Romero Vázquez, Alexis González Dulzaides

Autoras
Hilda Edith Pelletier Martínez, Elizabeth Rojas Samperio, Érika Margarita Victoria Anaya, Luz América Viveros Anaya, Aurora Consuelo Hernández Hernández, Martha Judith Oros Luengo

Revisión técnico-pedagógica
Natividad Hermelinda Rojas Velázquez, Virginia Tenorio Sil, Abraham García Peña, Antonio Blanco Lerín, Andrea Miranda Banda

Asesores
Lourdes Amaro Moreno, Leticia María de los Ángeles González Arredondo, Óscar Palacios Ceballos

Coordinación editorial
Dirección Editorial, DGME, SEP
Alejandro Portilla de Buen, Pablo Martínez Lozada, Esther Pérez Guzmán

Cuidado editorial
María Elia García López

Producción editorial
Martín Aguilar Gallegos

Formación
María del Sagrario Ávila Marcial

Servicios editoriales (2010)
Grupo Editorial Siquisirí, S.A. de C.V.

Cuidado editorial
Ana Laura Delgado, Angélica Antonio, Ana María Carbonell

Diseño y diagramación
Isa Yolanda Rodríguez, Rosario Ponce Perea, Gabriela Cabrera Rodríguez

Ilustración
Carlos Palleiro (pp. 1, 158); Julián Cicero (pp. 6-7, 26, 32-35, 92-94, 96-100, 134-143); Ricardo Peláez (pp. 8-10, 13,16-17); Ericka Martínez (pp. 12, 18-19, 21-22, 24-25); Juan Gedovius (pp. 36-39, 41-45, 68-76, 78-81, 83, 110-119, 121-122, 123-izq.); Margarita Sada (pp. 46-47, 49-52, 54-55, 62-66, 102-105, 107-109, 144-154-156-157); Mónica Miranda (pp. 56-61, 123-der.); Felipe Ugalde (pp. 84-91); Cecilia Rébora (pp. 124-127, 129-133).

Créditos iconográficos
p. 11: © Photo Stock. Ballena jorobada, fotografía de Michael S. Nolan; **p. 29**: © Other Images. Brújula; **p. 37**: tarahumaras, fotografía de Lourdes Almeida.

Portada
Diseño de colección: Carlos Palleiro
Ilustración de portada: Gabriela Podestá

Primera edición, 2010
Segunda edición, 2011 (ciclo escolar 2011-2012)

D.R. © Secretaría de Educación Pública, 2011
Argentina 28, Centro,
06020, México, D.F.

ISBN: 978-607-469-669-1

Impreso en México
DISTRIBUCIÓN GRATUITA-PROHIBIDA SU VENTA

Agradecimientos
La Secretaría de Educación Pública agradece a los más de 23 284 maestros y maestras, a las autoridades educativas de todo el país, al Sindicato Nacional de Trabajadores de la Educación, a expertos académicos, a los Coordinadores Estatales de Asesoría y Seguimiento para la Articulación de la Educación Básica, a los Coordinadores Estatales de Asesoría y Seguimiento para la Reforma de la Educación Primaria, a monitores, asesores y docentes de escuelas normales, por colaborar en la revisión de las diferentes versiones de los libros de texto llevada a cabo durante las Jornadas Nacionales y Estatales de Exploración de los Materiales Educativos y las Reuniones Regionales, realizadas en 2009. Así como a la Dirección General de Desarrollo Curricular, Dirección General de Educación Indígena, Dirección General de Desarrollo de la Gestión e Innovación Educativa.

La SEP extiende un especial agradecimiento a la Universidad Pedagógica Nacional (UPN), por su participación en el desarrollo de esta edición.

También se agradece el apoyo de las siguientes instituciones: Universidad Autónoma Metropolitana, Centro de Educación y Capacitación para el Desarrollo Sustentable de la Secretaría del Medio Ambiente y Recursos Naturales, Secretaría del Trabajo y Previsión Social, Escuela Normal Superior de México, Ministerio de Educación de la República de Cuba. Asimismo, la Secretaría de Educación Pública extiende su agradecimiento a todas aquellas personas e instituciones que de manera directa e indirecta contribuyeron a la realización del presente libro de texto.

Presentación

Hoy como nunca antes, la educación pública en México enfrenta retos que cuestionan la viabilidad y pertinencia de su actuar, frente a la transformación de la sociedad actual y al imparable avance científico y tecnológico. La concepción misma de la escuela y su función evolucionan hacia un modelo que desarrolle las competencias necesarias para transitar con éxito por la vida.

De cara a este escenario, la Secretaría de Educación Pública ha emprendido acciones para integrar los niveles de preescolar, primaria y secundaria, en un trayecto formativo consistente que articule los conocimientos específicos, las habilidades y las competencias que demanda la sociedad del siglo XXI, para lograr el perfil de egreso de la educación básica y favorecer una vinculación eficiente con la educación media.

Teniendo como antecedentes las reformas de Preescolar y Secundaria, el desafío actual lo representa la Reforma de la Educación Primaria. Este proceso se ha iniciado con la elaboración de los nuevos planes y programas de estudio y sus correspondientes materiales educativos; así también se desarrollan estrategias de formación permanente que acompañarán al colectivo docente en este arduo camino para reformar el currículo en su sentido más amplio. Al mismo tiempo, se impulsan acciones que consolidarán la gestión educativa.

Este material de apoyo corresponde al segundo de dos volúmenes e incluye los Bloques III, IV y V del programa; se espera que en breve sea producto de una construcción colectiva, amplia y diversa donde participen expertos, pedagogos, equipos editoriales y técnicos, directivos y docentes partícipes de la prueba piloto que se encuentra instalada en 5 mil escuelas en todo el país. Es importante destacar que su contenido se nutrirá también con las aportaciones de los maestros que asisten a las jornadas nacionales y estatales organizadas con el apoyo de las autoridades educativas de las 32 entidades federativas.

Esta versión que se pone en proceso de prueba se irá mejorando a partir del ciclo escolar 2009-2010 de manera colegiada, a través de las aportaciones que especialistas, instituciones académicas de reconocido prestigio nacional e internacional, organismos no gubernamentales y los consejos consultivos realicen; pero fundamentalmente se espera que se consolide cada ciclo escolar, con base en las experiencias que los maestros y alumnos logren con su uso en clase. Para tal propósito, en el sitio de internet de la Reforma Integral de la Educación Básica http://basica.sep.gob.mx/reformaintegral/ existirá un espacio abierto de manera permanente para recibir las sugerencias que permitan mejorar gradualmente su calidad y pertinencia.

Secretaría de Educación Pública

Conoce tu libro

Este libro tiene la intención de proporcionarte varias oportunidades para trabajar con nuestro idioma, y enriquecerte con el poder de una lengua como el español con el propósito de comunicar mejor conocimientos, ideas, opiniones, argumentos, decisiones, sentimientos y ¿por qué no?, también sueños.

El libro contiene cinco bloques con tres proyectos cada uno, excepto el quinto que solo tiene dos. Los proyectos brindan herramientas específicas para estudiar, comprender y disfrutar la lengua y la literatura, lo que te ayudará a desenvolverte en diferentes situaciones de la vida cotidiana.

Al inicio de cada proyecto encontrarás su propósito, el ámbito de la práctica social a la que pertenece, los materiales que necesitarás y la serie de actividades requeridas para alcanzar los aprendizajes, ya sea de manera individual, en equipos o con todo el grupo.

En tu libro encontrarás actividades con las cuales practicarás y reflexionarás sobre un conjunto de habilidades básicas para mejorar tu desempeño y las prácticas sociales del lenguaje.

En los proyectos encontrarás las secciones y adaptaciones que se muestran en el siguiente esquema:

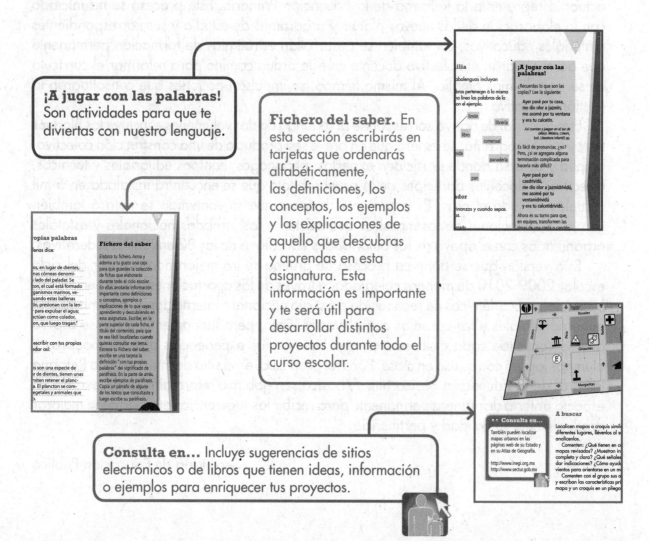

¡A jugar con las palabras! Son actividades para que te diviertas con nuestro lenguaje.

Fichero del saber. En esta sección escribirás en tarjetas que ordenarás alfabéticamente, las definiciones, los conceptos, los ejemplos y las explicaciones de aquello que descubras y aprendas en esta asignatura. Esta información es importante y te será útil para desarrollar distintos proyectos durante todo el curso escolar.

Consulta en... Incluye sugerencias de sitios electrónicos o de libros que tienen ideas, información o ejemplos para enriquecer tus proyectos.

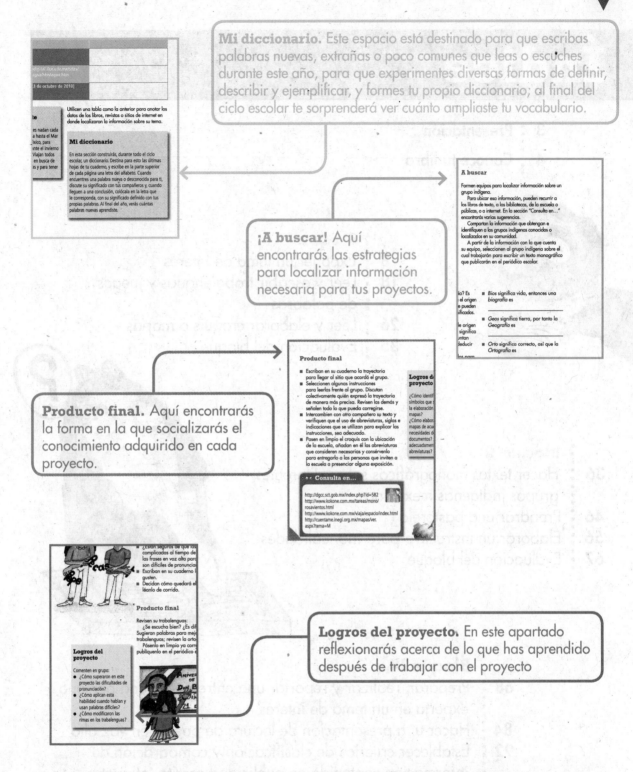

Mi diccionario. Este espacio está destinado para que escribas palabras nuevas, extrañas o poco comunes que leas o escuches durante este año, para que experimentes diversas formas de definir, describir y ejemplificar, y formes tu propio diccionario; al final del ciclo escolar te sorprenderá ver cuánto ampliaste tu vocabulario.

¡A buscar! Aquí encontrarás las estrategias para localizar información necesaria para tus proyectos.

Producto final. Aquí encontrarás la forma en la que socializarás el conocimiento adquirido en cada proyecto.

Logros del proyecto. En este apartado reflexionarás acerca de lo que has aprendido después de trabajar con el proyecto

Las actividades de los proyectos podrán ser adaptadas, modificadas o ampliadas por tu profesor, porque él es quien conoce mejor las necesidades y las preferencias del grupo y de cada uno de los alumnos.

Si este libro te resulta útil para tu vida cotidiana, entonces habrá cumplido su propósito.

Índice

PROYECTO:

Exponer un tema de interés

El propósito de este proyecto es exponer un tema de interés común frente a un grupo, a partir de una investigación documental. Para preparar la exposición será necesario localizar información en diversos textos, analizarla, seleccionar la más útil y ordenarla.

Para este proyecto necesitarás:
- libros y revistas sobre diversos temas
- pliegos de papel

Lo que conozco

En varias ocasiones has tenido la oportunidad de exponer un tema frente a tu grupo. Comenta con tus compañeros:

- ¿Qué has necesitado para preparar la exposición de un tema?
- ¿Qué usaste para que tu exposición sea clara e interesante?
- ¿Qué recursos apoyan tu exposición?

Busquemos temas

Formen un círculo entre todo el grupo y cada uno mencione los temas que más le interesan. Por ejemplo, las mascotas, los animales salvajes o las especies en peligro de extinción.

De acuerdo con lo que escucharon, formen equipos con los compañeros a quienes les interesen temas similares y adopten un nombre. Conversen con ellos hasta definir cuál será el tema que su equipo expondrá y qué aspectos sería interesante conocer sobre el tema elegido.

Los niños

Los árboles

Los planetas

Las ballenas

Los perros

Los libros

Una forma de descubrir conocimientos es formular interrogantes para buscar sus respuestas en los textos. Algunas preguntas que pueden ayudar son: ¿Qué? ¿Quién? ¿Cómo? ¿Cuándo? ¿Dónde? ¿Por qué? ¿Para qué? Observa que estas palabras en forma interrogativa llevan acento gráfico.

Un equipo está interesado en el tema de animales marinos y decidió conocer más sobre ballenas, y para guiar la búsqueda, elaboraron el siguiente cuestionario:

- ¿Qué son las ballenas?
- ¿Cuál es su tamaño?
- ¿Cuántos tipos de ballenas hay?
- ¿Qué tipos de ballenas hay en México?

- ¿Dónde viven?
- ¿Qué comen?
- ¿Cómo comen?
- ¿Cómo se reproducen?

Consulta en...

Además de encontrar información en los libros, revistas y enciclopedias, puedes consultar sitios de internet con ayuda de un adulto. Aquí te recomendamos algunos:

http://bibliotecadigital.ilce.edu.mx
http://fansdelplaneta.gob.mx
http://www.sep.gob.mx/swb/sep1/sep1_Ninos_SEP

A buscar

Cada equipo, elabore su cuestionario para guiar su propia búsqueda sobre el tema elegido. Revisen que cada pregunta tenga signos de interrogación al inicio y al final.

Escriban, en su cuaderno, un listado numerado con las preguntas elaboradas y discutan dónde podrían encontrar la información que necesitan para responderlas.

Localicen los textos útiles para contestar lo que plantearon.

Para que la información que obtengan sea confiable es importante buscar información en diversas fuentes; eso les permite:

a) Comparar los datos que les proporciona cada texto consultado.

b) Ampliar la información que necesitan.

En las bibliotecas se organizan gran diversidad de fuentes de información, como libros, revistas y periódicos, pero también existen otras, como monumentos, museos, objetos, testimonios, y todo aquello de donde provenga información. En este proyecto sólo utilizarás el contenido de fuentes escritas como libros, revistas, periódicos o sitios de Internet.

Lee el siguiente texto sobre ballenas.

http://bibliotecadigital.ilce.edu.mx/sites/colibri/cuentos/agua/htm/agua.htm

Ballenas
Guillermo Samperio

Las ballenas son mamíferos y, por tanto, sus antepasados fueron terrestres; a través de millones de años se adaptaron a la vida acuática. De estos animales, el fósil más antiguo es el llamado Archaocetes, o ballena arcaica, que existió hace unos 50 millones de años. Con el pasar del tiempo sus extremidades anteriores y posteriores se transformaron en aletas. Las primeras les sirven para equilibrarse y como timón; las segundas forman una cola muy poderosa, que utilizan para moverse en el agua.

Los cetáceos, que es el nombre científico de las ballenas, se dividen en dos grandes grupos: odontocetos o ballenas con dientes, y misticetos o ballenas sin dientes.

Los odontocetos comen básicamente moluscos (calamares, pulpos) y peces pequeños; los dientes les sirven para no dejar salir a sus presas, las cuales tragan sin masticar. A este grupo pertenecen, entre otras, las siguientes especies: los delfines, las marsopas, el cachalote, la orca o mascarilla y el tursión o delfín pico de botella.

Los misticetos, en lugar de dientes, tienen unas 400 láminas córneas denominadas "barbas", a cada lado del paladar. Se alimentan con plancton, el cual está formado por pequeñísimos organismos marinos, vegetales y animales. Cuando estas ballenas toman un gran bocado, presionan con la lengua contra el paladar para poder expulsar el agua; entonces las barbas actúan como colador, deteniendo el plancton, que luego tragan.

Aunque "cetáceos" significa algo así como mamíferos en forma de pez, la ballena no es un pez. Y esto no es mentira porque:
- Las crías nacen del vientre materno al cabo de unos diez meses de gestación. Y, como todos los mamíferos, las ballenas amamantan a sus hijos.
- Respiran con los pulmones.
- Su cola es horizontal.
- Nadan y bucean moviendo la cola de arriba a abajo.
- Son de sangre caliente.

Algunas ballenas son los animales más grandes que existen. La mayor mide de 20 a 30 metros de largo y alcanza a pesar hasta 136 mil kilogramos. Un niño cabría parado en el interior de la vena mayor del sistema circulatorio de la ballena. Pero también hay una ballena que es chiquitita; mide tan sólo metro y medio cuando es adulta.

Prácticamente, tanto la grande como la chica han perdido el sentido del olfato. Pueden tragar y respirar al mismo tiempo, y no es magia. Emiten una gran variedad de sonidos y algunos pueden ser escuchados por los hombres; otros, debido a que son de alta frecuencia, sólo pueden percibirse con aparatos especiales. De las ballenas jorobadas se dice que cantan.

La ballena gris es parte de la fauna mexicana. No es grandota ni chiquita, es más bien mediana: llega a pesar 40 mil kilos y a medir 16 metros de largo. Hacia 1860 se pensaba que se habían extinguido, pero en 1911, se empezaron a recuperar. Durante 1920, el gobierno de México comenzó a aplicar medidas legales para protegerlas. Y ahora, aunque hay discusiones sobre el total, se cree que son alrededor de 12 mil.

Guillermo Samperio, "*Ballenas*" http://bibliotecadigital.ilce.edu.mx/sites/colibri/cuentos/agua/htm/agua.htm [consultado el 23 de octubre de 2010]

Lee nuevamente las preguntas que elaboró el equipo que trabajó el tema animales marinos e identifica cuáles de ellas se responden con el texto que acabas de leer.

Datos de los textos consultados	Preguntas a las que responde
Guillermo Samperio, "Ballenas", en http://bibliotecadigital.ilce.edu.mx/sites/colibri/cuentos/agua/htm/agua.htm [consultado el 23 de octubre de 2010]	

Utilicen una tabla como la anterior para anotar los datos de los libros, revistas o sitios de internet en donde localizaron la información sobre su tema.

Un dato interesante

Las ballenas grises nadan cada año desde Alaska hasta el Mar de Cortés, en México, para permanecer durante el invierno en nuestro país. Viajan todos estos kilómetros en busca de aguas menos frías y para tener a sus crías.

Mi diccionario

En esta sección construirás, durante todo el ciclo escolar, un diccionario. Destina para esto las últimas hojas de tu cuaderno y escribe en la parte superior de cada página una letra del alfabeto. Cuando encuentres una palabra nueva o desconocida para ti, discute su significado con tus compañeros y, cuando lleguen a una conclusión, colócala en la letra que le corresponda, con su significado definido con tus propias palabras. Al final del año, verás cuántas palabras nuevas aprendiste.

Dilo con tus propias palabras

En el texto sobre ballenas dice:

Texto 1: "Los misticetos, en lugar de dientes, tienen unas 400 láminas córneas denominadas 'barbas', a cada lado del paladar. Se alimentan con plancton, el cual está formado por pequeñísimos organismos marinos, vegetales y animales. Cuando estas ballenas toman un gran bocado, presionan con la lengua contra el paladar para expulsar el agua; entonces las barbas actúan como colador, deteniendo el plancton, que luego tragan."

Si lo tuvieras que escribir con tus propias palabras, podría quedar así:

Texto 2: Los misticetos son una especie de ballenas que, en lugar de dientes, tienen unas "barbas", éstas le permiten retener el plancton y expulsar el agua. El plancton se compone de diminutos vegetales y animales que les sirven de alimento.

Cuando expresas con tus propias palabras un tema leído, estás haciendo una paráfrasis. Es importante en una paráfrasis no omitir las ideas principales. Cuando expones un tema, la paráfrasis te ayuda a explicar lo que investigaste con tus propias palabras.

En estos ejemplos, el primer párrafo es una copia textual; el segundo es una paráfrasis.

Fichero del saber

Elabora tu fichero. Arma a tu gusto una caja para que guardes la colección de fichas que elaborarás durante todo el ciclo escolar. En ellas anotarás información importante como definiciones o conceptos, ejemplos o explicaciones de lo que vayas aprendiendo y descubriendo en esta asignatura. Escribe, en la parte superior de cada ficha, el título del contenido, para que te sea práctico localizarlas cuando quieras consultar un tema. Estrena tu Fichero del saber: escribe en una tarjeta la definición "con tus propias palabras" del significado de paráfrasis. En la parte de atrás, escribe ejemplos. Copia un párrafo de alguno de los textos que consultaste y luego escribe su paráfrasis.

Más paráfrasis

Cuando hayan localizado en los textos la información que necesitan para el tema que estan investigando, elaboren paráfrasis de la información.

Utilicen una ficha de trabajo para cada respuesta. Si encuentran varias respuestas a una misma pregunta, hagan una ficha para cada una. Observen el ejemplo:

¿De qué tamaño son las ballenas?

El tamaño de las ballenas es muy variable, éste depende de la especie. Hay, muy grandes, de 20 a 30 metros de largo, o pequeñas, que cuando son adultas llegan a medir solamente metro y medio.

Guillermo Samperio, "Las ballenas", en http://bibliotecadigital.ilce.edu.mx/sites/colibri/cuentos/agua/htm/agua.htm

Reúnan todas las fichas que elaboró su equipo y lean cada una. Revísenlas:

- ¿La información que escribieron es clara y suficiente para responder a las preguntas?
- ¿Las respuestas que escribieron resolvieron las dudas que tenían antes de localizar la información?
- ¿La paráfrasis se realizó con sus propias palabras, pero conservó lo importante?
- La información que escribieron en las fichas, ¿se repite en las distintas tarjetas que elaboraron? Si es repetitiva, deben eliminarla de alguna de las fichas.

- ¿Corrigieron la ortografía?
- Verificar que:

a) Los signos de interrogación se encuentren al inicio y al final de cada pregunta.

b) Las palabras que se usan para formular preguntas: (qué, cómo, cuándo, dónde y por qué) tengan acento gráfico.

- Si tienen duda sobre la escritura de una palabra, revisen la fuente original.

Plan de la exposición

Para preparar su exposición, ordenen las preguntas que respondieron en las fichas. Coloquen, en primer lugar, las preguntas más generales y después las más específicas. Esa será la secuencia en que presentarán su exposición.

Elaboren las láminas que utilizarán para apoyarse. Recuerden los elementos que deben tener: encabezado, resumen de información, ilustraciones. Revisen que los textos sean breves y claros y que las ilustraciones ayuden a entender el tema.

La organización de las exposiciones

En grupo, organicen la presentación de las exposiciones de cada equipo. Determinen la duración que tendrá cada una y cuántas participaciones realizarán por cada día. Se pueden apoyar en la siguiente tabla:

Nombre de los alumnos	Tema	Fecha de exposición

Es importante que al momento de exponer:

- Mantengan un volumen de voz que pueda ser escuchado con claridad por los compañeros.
- Se apoyen en las láminas que elaboraron para las explicaciones.

Después de que cada equipo exponga, dediquen un tiempo para que sus compañeros hagan preguntas con las dudas que surjan sobre el tema. Si desconocen la respuesta a alguna pregunta, regístrenla y regresen a los materiales para enriquecer su investigación.

Producto final

Empleen las tarjetas con las que presentaron su exposición para elaborar un texto informativo. Atiendan las siguientes indicaciones:

■ Incorporen las preguntas que se plantearon después de la exposición.
■ Revisen si el texto está completo o si le falta información. En este último caso, complétenlo.
■ Utilicen palabras que ayuden a unir las oraciones (y, o, pero, sin embargo, además, así como, entonces).
■ Verifiquen que las palabras estén bien escritas y la acentuación sea correcta.
■ Pasen en limpio el trabajo.
■ Al terminar todas las exposiciones pueden reunir sus escritos en una antología para la biblioteca de su salón.

Con base en el texto final, elaboren carteles donde incluyan la información más importante sobre el tema, para que sea conocida por sus compañeros. Agreguen la fuente bibliográfica con el fin de que consulten más sobre ese tema.

Logros del proyecto

Comenta con tus compañeros:
● ¿Cuáles exposiciones te parecieron más interesantes y por qué?
● ¿Cómo te ayudaron las preguntas para guiar la búsqueda de información?
● ¿Qué dificultades encontraste para hacer una paráfrasis?

Autoevaluación

Es tiempo de que revises lo que has aprendido después de trabajar en este proyecto. Lee cada enunciado y marca con una palomita (✓) la opción con la cual te identificas.

	Lo hago muy bien	Lo hago a veces y puedo mejorar	Necesito ayuda para hacerlo
Formulo preguntas para buscar información.			
Localizo información repetitiva en un texto.			
Planifico una exposición.			
Elaboro gráficos para la exposición.			
Utilizo acentos en mi texto cuando es necesario.			

	Lo hago siempre	Lo hago a veces	Necesito ayuda para hacerlo
Acepto participar armoniosamente en el trabajo en equipo.			
Respeto las opiniones de mis compañeros y soy objetivo cuando expreso las mías.			

Me propongo mejorar en: _____

_____

PROYECTO: Leer y escribir trabalenguas y juegos de palabras

El propósito de este proyecto es jugar con las palabras por medio de trabalenguas y adivinanzas para escribir otros y publicarlos en el periódico mural.

Para este proyecto necesitarás:
- Trabalenguas y adivinanzas
- Pliegos de papel

Lo que conozco

Comenta en pequeños equipos: ¿alguna vez se han trabado cuando quieren decir una palabra y terminan diciendo otra? En ocasiones, cuando esto sucede, da mucha risa. Con este proyecto en el que leerán y escribirán trabalenguas, juegos de palabras y algunas adivinanzas, se divertirán mucho.

Después de realizar la actividad ¡A jugar con las palabras! reflexionen con su maestro: ¿cuántas veces se equivocaron al jugar? ¿conocen alguna otra frase con la que se equivoquen al hablar?

Un trabalenguas es una composición difícil de decir; para dominar su pronunciación hay que practicarlos.

¡A jugar con las palabras!

Juega con tu grupo "Un limón, medio limón". Para ello, sigan estas instrucciones:

1. Todo el grupo se sienta en círculo. Cada alumno se numera en forma sucesiva para saber cuántos forman el grupo.
2. Todos aplauden dos veces y después palmean sus muslos dos veces, también, rápidamente.
3. De manera simultánea a estos movimientos, el número uno deberá decir: "Un limón, medio limón", e inmediatamente el número dos dirá: "Dos limones, medio limón" y así sucesivamente, sin que nadie deje de aplaudir.
4. Los compañeros que se equivoquen al aplaudir, se tarden o se les trabe la lengua, salen del círculo.
5. Para aumentar la dificultad, háganlo más rápido o cambien los movimientos e inventen frases parecidas, por ejemplo: una lima limón, media lima limón; una lima limonada, media lima limonada.

○○○ Consulta en...

Si te gustan los trabalenguas consulta los siguientes sitios:

http://www.kokone.com.mx/leer/traba/index.html
http://www.elbalero.gob.mx/juegos/html/tlacuache/adivinanzas/1traba.html
http://www.nacnet.org/assunta/trabalen.htm
http://www.educar.org/lengua/trabalenguas.asp

¡A buscar!

Busca trabalenguas y apréndetelos para que digas uno en clase. Recuerda practicar para que no te equivoques.

En equipos comenten: ¿Qué similitudes encontraron en los trabalenguas que dijeron otros compañeros? ¿Hay trabalenguas más complicados que otros? ¿Por qué algunos son más difíciles?

Seguimos jugando

Por turnos, algunos alumnos pasarán al frente a leer en voz alta los siguientes trabalenguas:

Me han dicho que has dicho un dicho
un dicho que he dicho yo.
Y ese dicho que te han dicho que yo he dicho
no lo he dicho.
Mas si yo lo hubiera dicho,
estaría muy bien dicho
por haberlo dicho yo.
He dicho.

Pablito clavó un clavito
en la calva de un calvito,
en la calva de un calvito
un clavito clavó Pablito.

Al volcán de Parangaricutirimícuaro
lo quieren desemparangaricutirimicuarizar
el que lo desemparangatirimicuarizare
será un buen desemparangaricutirimicuarizador

Señor cómpreme coco
Señor, cómpreme coco
Yo no compro coco
porque como poco coco,
y como poco coco como
poco coco compro.

La calavera

Estaba la calavera
sentadita en su butaca;
llega la muerte y le dice:
comadre, ¿por qué tan flaca?

¡Con E!
Estebe le quelevere
sentedete en se beteque;
llegue le merte y le dece:
quemedre, ¿per qué ten fleque?

¡Con I!
Istibi li quiliviri
sintiditi in si bitiqui;
lligui li mirti y li dici:
quimidri, ¿pir quí tin fliqui?

¡Con O!
Ostobo lo colovoro
sontodoto on so botoco;
llogo lo morto o lo dozo:
comodro, ¿por co ton floco?

¡Con U!
¡Dilo tú!

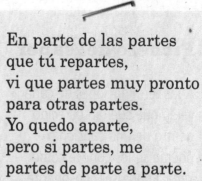

En parte de las partes
que tú repartes,
vi que partes muy pronto
para otras partes.
Yo quedo aparte,
pero si partes, me
partes de parte a parte.

Doña Panchívida,
se cortó un dévido,
con el cuchívido,
del zapatévido.
Y su marívido,
se puso brávido,
porque el cuchívido,
estaba afilávido.

Un dato interesante

En la antigua Grecia, un hombre llamado Demóstenes se distinguió por su extraordinaria habilidad como orador. A pesar de ser tartamudo, buscó la manera de superar su problema. Para mejorar la calidad de sus discursos sostenía entre los dientes un palito y, de frente al mar, trataba de superar con su voz el ruido de las olas.

Fichero del saber

A las terminaciones de cada verso que suenan parecido dentro de una canción o poema se les conoce como *rima*. Puede ser consonante cuando coinciden vocales y consonantes: *casa*, *masa;* y asonante cuando sólo coinciden las vocales: *fresa*, *meta*. Escribe en tu ficha un trabalenguas que se forme con rimas y subráyalas.

Revisen cómo termina cada renglón del trabalenguas "Doña Panchívida". ¿Se parecen? ¿Esas terminaciones hacen más complicada la pronunciación del trabalenguas?

- Cuando dos palabras son iguales y se acentúa una de ellas, ¿cambia su significado?
- Comenten los distintos significados de las palabras *parte* y *aparte*, en el penúltimo trabalenguas.

Lean el siguiente texto: *Tú* dices que esa es *tu* mochila, pero se parece a la *mía*, tú revísala y así sabrás si es la tuya. *Sí*, si es roja, es la *mía*.

Comenten por qué las palabras *tu* y *si* están escritas con acento y sin él. ¿Qué significan en cada caso?

Palabras en familia

Al inventar su trabalenguas pueden incluir palabras similares.

Observen el esquema. Une con una línea las palabras de la misma familia léxica.

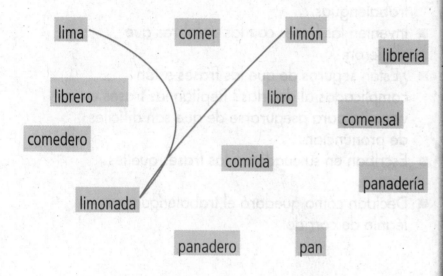

lima   comer   limón

librería

librero   libro

comensal

comedero

comida

panadería

limonada

panadero   pan

Adivina, adivinador

Lee las siguientes adivinanzas y cuando sepas las respuestas, ilústralas.

Un convento bien cerrado,
sin campanas y sin torres;
y muchas monjitas adentro
haciendo dulce de flores.

Chiquito, redondo,
barrilito sin fondo.

Chiquito como un ratón,
y cuida la casa como un león.

¿Se saben otras? Platíquenlas con el grupo,
a ver quién dice la más difícil de adivinar.

Trabajen tranquilos trabalenguas que trastabillan lenguas

Entre todo el grupo realicen las siguientes actividades:

- Elijan las palabras con las que inventarán su trabalenguas.
- Inventen las frases con las palabras que eligieron.
- ¿Están seguros de que las frases están complicadas al decirlas? Repitan las frases en voz alta para asegurarse de que son difíciles de pronunciar.
- Escriban en su cuaderno las frases que les gusten.
- Decidan cómo quedará el trabalenguas y léanlo de corrido.

Producto final

Revisen su trabalenguas: ¿se escucha bien? ¿es difícil de pronunciar? Sugieran palabras para mejorar el trabalenguas; revisen la ortografía.

Pásenlo en limpio ya corregido, ilústrenlo y publíquenlo en el periódico escolar.

Logros del proyecto

Comenten en grupo:
- ¿Cómo superaron en este proyecto las dificultades de pronunciación?
- ¿Cómo aplican esta habilidad cuando hablan y usan palabras difíciles?
- ¿Cómo modificaron las rimas en los trabalenguas?

Autoevaluación

Es tiempo de que revises lo que has aprendido después de trabajar en este proyecto. Lee cada enunciado y marca con una palomita (✓) la opción con la cual te identificas.

	Lo hago muy bien	Lo hago a veces y puedo mejorar	Necesito ayuda para hacerlo
Identifico las características de los trabalenguas.			
Uso la rima para crear efectos sonoros.			
Utilizo rimas o palabras similares en la construcción de trabalenguas.			

	Lo hago siempre	Lo hago a veces	Necesito ayuda para hacerlo
Acepto participar en los juegos con respeto y tolerancia.			
Valoro las sugerencias de mis compañeros.			

Me propongo mejorar en: _____

_____

Ámbito: Participación comunitaria y familiar

PROYECTO: Leer y elaborar croquis o mapas

El propósito de este proyecto es elaborar un croquis de la ubicación de tu escuela; en él señalarás las indicaciones gráficas para llegar a un lugar y darás las instrucciones que faciliten un recorrido.

Para este proyecto necesitarás:
- Croquis y mapas urbanos y de carreteras

Lo que conozco

¿Cómo explicarías el recorrido de tu casa a la escuela usando un croquis?

En ocasiones, tener por escrito la dirección de un lugar no es suficiente para que una persona se oriente y llegue a su destino de la manera más rápida y directa.

Una compañera de 2° grado participará en la ceremonia de la escuela e invitó a su prima Lupita para que vaya a verla. Pero Lupita no sabe cómo llegar a la escuela. ¿Puedes ayudarla?

Comenta con tu grupo cómo explicar a Lupita el camino a tu escuela.

Menciona lugares conocidos cerca de la escuela: ¿hay una plaza pública cercana? ¿Quizá un parque o un mercado? ¿Desde cuál de esos lugares sería más fácil, para Lupita, llegar a la escuela?

¿Recuerdas la Rosa de los vientos? ¿Para qué sirve? Dibújala en un pedazo de cartulina de reúso y colócala en el centro del patio escolar. Identifica hacia dónde se encuentra cada uno de los puntos cardinales. Observa el siguiente mapa.

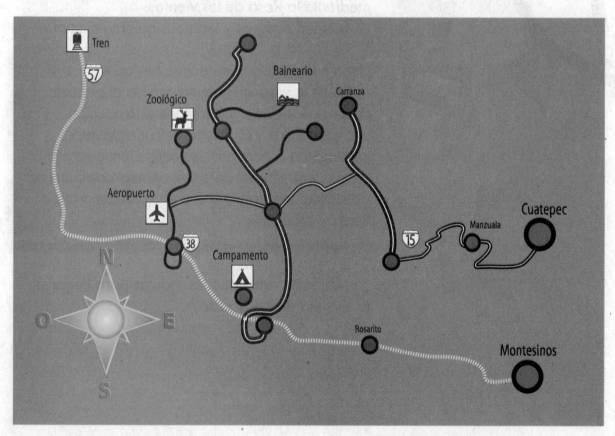

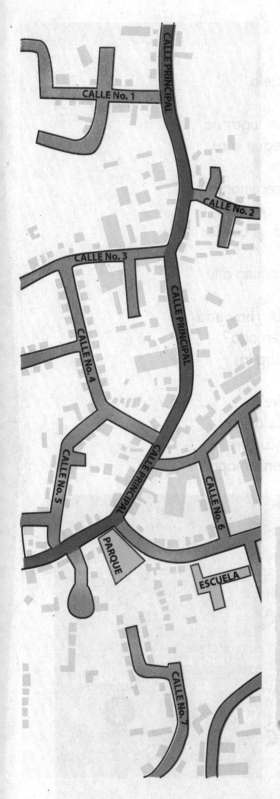

Completa las frases con lugares o calles que sirvan para ubicar tu escuela:

Al norte de la escuela se encuentra:

_____

Hacia el sur de la escuela está:

_____

Ubicado al oeste de la escuela hay:

_____

Al este de la escuela se localiza:

_____

Identifica las señales que se usan para indicar lugares en los mapas. Determina cuáles vas a usar tú.

Por escrito, explica a Lupita cómo llegar a tu escuela fácilmente. Utiliza como referencias los lugares que ubicaste alrededor de la escuela mediante la Rosa de los vientos.

Formen equipos y lean el siguiente ejemplo:

> Llega a la plaza pública donde hay un kiosko. Al norte de la plaza se encuentran las oficinas de gobierno y, al Este, unos arcos y un hospital. Entre los arcos y el hospital hay una paletería; camina una cuadra por esa calle. Donde está el banco da vuelta a la derecha, camina dos cuadras y da vuelta a la derecha. Enfrente del deportivo está mi escuela.

¿Cuántas rutas puedes indicar para llegar a tu escuela desde tu casa?

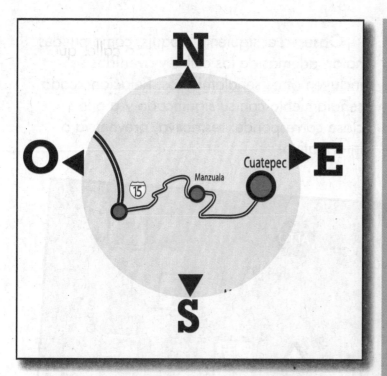

Seleccionen algunas de las instrucciones que escribieron. Elijan a algunos compañeros para que realicen un croquis de su escuela basado en las instrucciones que redactaron. ¿Las instrucciones son claras? ¿Qué elementos agregarían para que Lupita pueda llegar a su escuela fácilmente?

En equipo, lean las instrucciones que escribieron otros compañeros para precisar la ubicación de su escuela.

Observa el siguiente croquis; como puedes notar, además de las calles y avenidas se incluyen otros señalamientos. Relaciona cada señalamiento con su significado y a qué clase corresponde: restrictiva, preventiva o informativa.

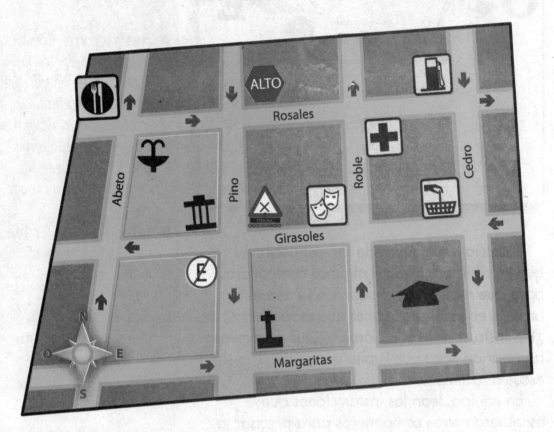

A buscar

Localicen mapas o croquis similares de diferentes lugares, llévenlos al salón y analícenlos.

Comenten: ¿Qué tienen en común los mapas revisados? ¿Muestran información completa y clara? ¿Qué señales utilizan para dar indicaciones? ¿Cómo ayuda la Rosa de los vientos para orientarse en un mapa?

Comenten con el grupo sus observaciones y escriban las características principales de un mapa y un croquis en un pliego de papel.

● ● ● Consulta en...

Pueden localizar mapas urbanos en las páginas web de su Estado y en su *Atlas de México* o en los siguientes sitios.

http://www.inegi.org.mx
http://www.sectur.gob.mx

Peguen el pliego de papel en un lugar visible para que todos consideren estos elementos en los croquis que elaborarán después.

Para que este croquis sea más preciso, incluyan algunos señalamientos.

Siglas y abreviaturas

Como te habrás dado cuenta, en los mapas y croquis se usan algunas siglas para abreviar el nombre de las instituciones. Pregunta a tu maestro o a algunos adultos en casa el significado de las siguientes siglas:

IMSS	**ISSSTE**	**UNAM**
SEP	**SRE**	**IPN**

Investiga qué diferencias encuentras entre las siglas y las abreviaturas. Señala el significado de las siguientes abreviaturas:

Lic.	**Av.**	**Ing.**
Calz.	**Dr.**	**Mtro.**

Las palabras y sus sílabas

Conocer cómo se separan las sílabas que forman una palabra permite, entre otras funciones, identificar cómo usar el acento gráfico. Una *sílaba* es el conjunto de letras que al pronunciarse se dicen en una sola emisión de voz.

Observa las siguientes sílabas. Escribe de qué manera se conforman (por ejemplo: *le* = una consonante + una vocal).

U	**bi**	**car**
_____	_____	_____

Selecciona algunas palabras y sepáralas en sílabas en tu cuaderno.

Fichero del saber

Al pronunciar una palabra que contiene más de una sílaba, siempre hay una que se dice más fuerte que las demás; a esta sílaba se le llama *sílaba tónica*, y a las que se pronuncian con menor fuerza se les llama *átonas*. En las siguientes palabras, las sílabas resaltadas corresponden a las sílabas tónicas y el resto a las sílabas átonas:

a-ve-**ni**-da   se-**má**-fo-ro

ca-lle

iz-**quier**-do   ca-me-**llón**

Según la ubicación de las sílabas tónicas, las palabras se clasifican en:

- **Agudas**: Cuando la sílaba tónica se ubica en la última sílaba. Se coloca acento gráfico cuando la palabra termina en **n**, **s** o **vocal**.
- **Graves**: Cuando la sílaba tónica se encuentra en la penúltima sílaba y se acentúan cuando no terminan en **n**, **s** o **vocal**.
- **Esdrújulas**: La sílaba tónica se encuentra en la antepenúltima sílaba y siempre lleva acento gráfico.

Formen equipos con lo que ya saben sobre las características de los croquis y la información que poseen sobre la ubicación de tu escuela y sus alrededores, dibujen en el pizarrón el croquis de la ubicación de la escuela. Sugieran los símbolos y siglas que consideren necesarios.

1. Propongan varias rutas de desplazamiento, por ejemplo: ¿Por dónde me voy para ir del kiosko a la tienda?
2. Tracen sobre el croquis las rutas que les permitan ir de un lugar a otro de la manera más sencilla y rápida.
3. Describan los recorridos trazados en una hoja de rotafolio.

Producto final

- Describan en su cuaderno el croquis para llegar a su escuela, describan la trayectoria y preséntalo al grupo.
- Seleccionen algunas instrucciones. Discutan quién expresó la trayectoria de manera más precisa. Señalen lo que pueda corregirse.
- Intercambien con otro compañero su texto y revisen que el uso de abreviaturas, siglas e indicaciones utilizadas sea adecuado.
- Pasen en limpio el croquis con la ubicación de la escuela, añadan en él las abreviaturas que consideren necesarias y consérvenlo para entregarlo a las personas que inviten a la escuela a presenciar alguna exposición.

Logros del proyecto

¿Cómo identificas los símbolos que se emplean en la elaboración de los croquis y mapas?

¿Cómo elaboras tus propios mapas de acuerdo con las necesidades de este tipo de documentos? ¿Puedes emplear adecuadamente siglas y abreviaturas?

Consulta en...

http://dgcc.sct.gob.mx/index.php?id=582
http://www.kokone.com.mx/tareas/mono/rosavientos.html
http://www.kokone.com.mx/viaja/espacio/index.html
http://cuentame.inegi.org.mx/mapas/ver.aspx?tema=M

Autoevaluación

Es momento de revisar lo que has aprendido después de trabajar con este proyecto. Lee los enunciados y marca con una palomita (✓) la opción con la cual te identificas.

	Lo hago muy bien	Lo hago a veces y puedo mejorar	Necesito ayuda para hacerlo
Conozco los símbolos que se emplean para representar lugares y trayectos en un mapa.			
Identifico las siglas y abreviaturas que se emplean en los croquis y mapas urbanos.			
Escribo correctamente las palabras que se emplean en croquis o mapas.			

	Lo hago siempre	Lo hago a veces	Necesito ayuda para hacerlo
Me esfuerzo para trabajar con los mapas para saber cómo llegar a un lugar.			
Trabajo en equipo sin molestar a mis compañeros y compañeras.			

Me propongo mejorar en: _____

_____

Evaluación del bloque I

Subraya la opción correcta.

1. Es un ejemplo de fuente de información:
   a) Una toma de agua.
   b) Una máquina de escribir.
   c) Una computadora.
   d) Los libros de texto.

2. Para presentar una exposición es importante:
   a) Decorar las tarjetas informativas.
   b) Aprender de memoria lo que se tiene que decir.
   c) Conocer el tema y ayudarse con apoyos gráficos.
   d) Leer lo que se escribió en un cartel.

3. Son ejemplos de siglas:
   a) Av., pág., depto.
   b) Av., depto., IMSS
   c) IMSS, ISSSTE, UNAM
   d) IMSS, ISSSTE, depto.

4. Es una familia de palabras:
   a) común, comunidad, comunitario
   b) bueno, bonito, bien
   c) día, sol, playa
   d) común, correr, comer

BLOQUE II

PROYECTO:

Hacer textos monográficos sobre diferentes grupos indígenas mexicanos

El propósito de este proyecto es publicar un texto monográfico sobre un grupo indígena, a partir de una investigación documental.

Para este proyecto necesitarás:

- Mapa de la República Mexicana con división política
- Libros y revistas
- Ilustraciones sobre grupos indígenas

Lo que conozco

México es uno de los países con mayor diversidad lingüística en el mundo, no sólo por la cantidad de lenguas que se hablan sino por sus variantes. Conocer acerca de los pueblos de origen indígena amplía y enriquece las posibilidades de comunicación, y abre ventanas que permiten apreciar formas distintas de entender y expresar el mundo.

En este proyecto conocerás algunos aspectos importantes de estos pueblos: historia, lengua, costumbres, fiestas y algo más; compararás la información entre distintas etnias para elaborar una monografía.

Comenten qué conocen sobre los distintos grupos indígenas mexicanos.

¿Recuerdan cómo son sus costumbres?, ¿cómo celebran sus fiestas?, ¿qué lengua hablan?

Lean el siguiente texto.

Los tarahumaras

Ubicación. Los tarahumaras o rarámuris son un pueblo indígena que vive en el estado de Chihuahua, en la Sierra Madre Occidental. Se caracteriza por su amor a la naturaleza y el respeto a sus costumbres.

Estructura social. Debido al clima tan extremoso, una gran parte de la población rarámuri no vive fija en un lugar; sino que se moviliza entre la sierra de acuerdo con las estaciones del año, para protegerse del frío que llega durante el invierno a varios grados bajo cero en las partes altas de la sierra.

Vivienda. La población rarámuri es de aproximadamente 57 mil personas y vive de manera dispersa; en ocasiones hay varios kilómetros entre una vivienda y otra. Las familias no suelen ser muy grandes. Las casas de los tarahumaras son pequeñas y están hechas de troncos. No acostumbran el uso de muebles dentro de las casas. Algunos, para protegerse del clima, viven en cuevas.

Vestimenta. Aunque muchos hombres, actualmente, utilizan ropa occidental, la mayoría de las mujeres usan la ropa tradicional que ellas mismas elaboran. Usan blusas y faldas holgadas de colores brillantes y estampados alegres y llamativos. Tanto los hombres como las mujeres utilizan, a veces, una banda en la cabeza de color rojo o blanco.

Festividades importantes. Desde la época prehispánica, los tarahumaras se han caracterizado por su habilidad para correr grandes distancias. Una muestra de esta capacidad extraordinaria es "La carrera de la bola", que puede durar varios días en los que recorren una gran cantidad de kilómetros.

Alimentación: El alimento más importante es el maíz con el que hacen tortillas, pinole, atole y teswino. Los frijoles y las habas son la principal fuente de proteínas. También comen calabaza, chilacayote y nopales; membrillos, manzanas, tunas y duraznos.

Fichero del saber

Con ayuda de tu maestro, completa el siguiente párrafo:

Una monografía es _____

_____

cuya finalidad es _____

_____

Comenten en grupo: ¿Cuál es el tema de la lectura? ¿Cuál es la finalidad de este texto? ¿Qué otros temas se podrían agregar a la lectura para ampliar su información?

Escriban en el pizarrón o en un pliego de papel los nombres de los pueblos indígenas que ustedes conozcan.

A buscar

Formen equipos para localizar información sobre un pueblo indígena.

Para ubicar esa información, pueden recurrir a los libros de texto, a las bibliotecas, de la escuela o públicas, o a internet. En la sección "Consulta en…" encontrarás varias sugerencias.

Compartan la información que obtengan e identifiquen a los pueblos indígenas conocidos o localizados en su comunidad.

A partir de la información con la que cuenta su equipo, seleccionen al pueblo indígena sobre el cual trabajarán para escribir un texto monográfico que publicarán en el periódico escolar.

Los significados

Han oído hablar de la Etimología? Es una rama del saber que estudia el origen de las palabras. Al conocerlo, se pueden comprender muchos de sus significados.

Por ejemplo, la palabra *monografía* tiene dos raíces de origen griego: *mono* y *grafos; mono* significa uno y *grafos* escritura. Si se juntan estas dos palabras se puede deducir el significado de monografía.

Investiguen otros significados para la palabra *grafos:*

- *Bios* significa vida, entonces una *biografía* es:

_____

- *Geos* significa tierra, por tanto la *Geografía* es:

_____

- *Orto* significa correcto, así que la *Ortografía* es:

_____

El trabajo en equipo

Para que un equipo funcione de manera eficiente, es necesario que cada integrante tenga claro lo que le corresponde hacer.

Un integrante del equipo desempeñará el cargo de presidente, quien organizará y revisará el trabajo de los demás miembros del equipo.

También será necesario designar a un relator cuya tarea será leer y exponer la información recopilada al resto de los integrantes del equipo.

Repartan las siguientes tareas y actividades entre los integrantes del equipo.

- Escribir el borrador con las ideas o datos que aporte el equipo.
- Pasar la monografía en limpio.
- Elaborar el mapa con la localización del pueblo indígena.
- Ilustrar o seleccionar imágenes para el texto.

Acuerden con sus compañeros las funciones que cada uno deberá realizar y anótenlas en su cuaderno. Cuiden que todos tengan tareas y responsabilidades de forma equitativa. Estas tareas se deben rotar en los equipos, para propiciar que a todos les toque presidir o relatar alguna vez.

a) Cada equipo expondrá frente al grupo la información que investigó. Con los datos que aportó todo el grupo, llenen el siguiente cuadro:

Nombre del pueblo indígena	Región	Lengua	Vestuario	Platos típicos	Fiestas	Actividades económicas	Otras características
Rarámuris o Tarahumaras	Chihuahua, Sierra Madre Occidental	Rarámuri	*Hombres:* traje occidental *Mujeres:* blusas y faldas holgadas de colores brillantes		"La carrera de la bola"		

b) Revisa la información y selecciona dos de los pueblos indígenas presentados en el cuadro para que, a partir de las características que establecieron, puedas empezar la elaboración de tu monografía.

Determina qué temas incluirás en la monografía, por ejemplo, historia del pueblo indígena, costumbres, actividades económicas, etcétera.

c) Selecciona la información que consideres necesaria para incluirla en el texto. Elabora oraciones a partir de la información seleccionada. Las siguientes oraciones te pueden servir de guía:

El pueblo indígena _____ se localiza

en _____

Su indumentaria se caracteriza por _____

La economía de este grupo se basa principalmente

en _____

Entre las festividades más importantes está

_____

Agreguen oraciones de acuerdo con los temas que van a tratar.

Con esta información escribirán un texto monográfico en el que compararán las características de los dos pueblos indígenas elegidos.

d) Lleven al salón un mapa de la República Mexicana y en él señalen el lugar donde se encuentran los pueblos elegidos.

e) Escriban párrafos en los que se mencionen las similitudes y diferencias que tienen estos pueblos. Recuerden organizarlos según los temas que acordaron para escribir la monografía. Este texto en conjunto será el borrador y servirá para revisar y hacer correcciones.

f) Busquen o elaboren imágenes que apoyen el contenido de su texto.

Pesca las palabras, y forma con ellas algunas oraciones.

en cambio

al igual que

a diferencia de

de tal manera que

por otro lado

Intercambien los borradores de las monografías con otros equipos.

En cada texto, revisen:

a) La forma: redacción y ortografía.
b) El contenido: que esté completo, sea claro y la información sea relevante.
c) La presentación: el tipo y tamaño de letra; las ilustraciones.

Escriban con lápiz las observaciones en el borrador y regrésenlas a los equipos para que puedan incorporar las sugerencias en su texto monográfico.

Fichero del saber

Las siguientes palabras, conocidas como *nexos*, te ayudarán a enlazar las oraciones que elaboraste para redactar los párrafos y establecer comparaciones entre la información de un pueblo indígena y la de otro. Inclúyelas en tus textos.

¡A jugar con las palabras!

Con seguridad, en su texto emplearon algunas de las siguientes palabras, que están en desorden. Une con una línea las palabras de la misma familia que se encuentran en los recuadros. Pon atención a la forma en la que están escritas.

Hablantes

Vestuario

Habla

Indigenismo

Vestimenta

Hábitat

Regional

Indigenista

Regionalismo

Lengua

| Región |
| Lenguaje |
| Vestido |
| Hablar |
| Habitantes |
| Indígena |

Intercambia las respuestas con tus compañeros.

Mi diccionario

¿Cuál de estas palabras encontrarías en el diccionario? *Región* o *regiones*, *indígena* o *indígenas*, *festividad* o *festividades*? De la siguiente familia de palabras, ¿cuáles encontrarías en el diccionario? *Vestidos*, *vestimenta*, *vestuario*, *vestiduras*. ¿Cómo definirías en tu diccionario una palabra, en singular o en plural?

Un dato interesante

La cocina indígena ha proporcionado muchos productos a la gastronomía internacional como el tomate, jitomate, chocolate, aguacate, chicle, café, maíz...

Un dato interesante

Dentro de la gastronomía mexicana actual pueden encontrarse muchos ejemplos de la cocina indígena, como el *zacahuil* que se consume en la región huasteca; el *tejuino* en Nayarit y Jalisco; el *tejate* en la zona zapoteca; los *tamales de chipilín* en Chiapas, y el *pozol* en la región maya.
Pregunta en tu casa qué otros alimentos de origen indígena conocen.

Logros del proyecto

- ¿Qué hiciste para identificar los textos que contrastan información sobre un mismo tema? ¿Qué nexos utilizaste para indicar el contraste?
- ¿Cómo organizaste los párrafos para conformar tu escrito? ¿Identificaste los distintos roles en los equipos y que es importante participar con respeto en el trabajo colaborativo del grupo?
- ¿Qué características tienen en común algunos grupos indígenas? ¿Qué tradiciones de los pueblos indígenas recuerdas? ¿Cómo elaboraste tu texto monográfico comparando dos de estos grupos?

Producto final

Es momento de completar el trabajo para publicarlo.

- Incorporen las sugerencias que hicieron los compañeros y pasen en limpio su monografía.
- Agreguen el mapa donde señalaron la ubicación de los pueblos indígenas a los que se refiere su texto.
- Peguen las ilustraciones que seleccionaron, de manera que correspondan a los temas tratados.
- Publiquen sus monografías en el periódico escolar o realicen con ellas un periódico mural.

Autoevaluación

Es tiempo de que revises lo que has aprendido después de trabajar en este proyecto. Lee cada enunciado y marca con una palomita (✓) la opción con la cual te identificas.

	Lo hago muy bien	Lo hago a veces y puedo mejorar	Necesito ayuda para hacerlo
Al leer un texto localizo los datos que necesito.			
Resumo información al utilizar los cuadros de datos.			
Utilizo nexos para escribir comparaciones.			

	Lo hago siempre	Lo hago a veces	Necesito ayuda para hacerlo
Cuando trabajo en equipo, llego a acuerdos para tomar decisiones.			
Aporto sugerencias útiles al trabajo de mis compañeros.			

Me propongo mejorar en: _____

_____

Ámbito: Literatura

PROYECTO: Preparar una pastorela

El propósito de este proyecto es organizar la presentación de una obra de teatro popular mexicana. Para ello, te familiarizarás con los formatos gráficos de los guiones, conocerás las características de las lecturas dramatizadas; y, con el fin de invitar a tus familiares a la puesta en escena, aprenderás a redactar cartas formales de invitación para presentar tu obra a la comunidad escolar.

Los hechos históricos tienen gran influencia sobre las producciones culturales de una época. Durante el Virreinato, España determinó en gran medida las características de la expresión artística en la Nueva España. Un ejemplo de esto fueron las obras de teatro, entre ellas, las pastorelas, las cuales se han representado hasta la actualidad.

Para este proyecto necesitarás:
- Piezas teatrales breves
- Material reciclable para vestuario y escenografía
- Hojas blancas

Lo que conozco

Formen equipos y comenten:

- ¿Han presenciado alguna vez una obra de teatro?
- ¿Fue una obra infantil?
- ¿De qué se trató?
- ¿Quiénes eran los personajes?
- ¿Han participado alguna vez en una obra de teatro?
- Describan al personaje que les tocó actuar.
- ¿Han leído alguna obra de teatro?
- ¿Les gustaría participar en el montaje de una obra?

La pastorela

¿Saben qué es una pastorela? ¿Han visto o participado en alguna?

Busquen en las bibliotecas alguna pastorela o algún ejemplar de teatro mexicano. Entre tanto, lean y comenten el texto de la página siguiente.

Perico y el viajero

Anónimo

Personajes
- Perico (chico de 8 o 9 años)
- Viajero (hombre maduro)

Se ve una calle cualquiera de la ciudad. Entra el Viajero, con una maleta y mirando en todas direcciones. Al poco rato aparece Perico.

Viajero: (Con voz amable). Por favor, niño, ¿qué debo tomar para ir a la estación?

Perico: No debe tomar nada. Si toma algo, en lugar de ir a la estación se va a ir a la cárcel.

Viajero: (Algo extrañado). Quiero decir, en qué bus tengo que subirme.

Perico: Bueno, en el que va a la estación.

Viajero: Escúchame, niño: que para ir a la estación tengo que tomar un bus ya lo sabía muy bien. Lo que quiero saber es en dónde tengo que tomar el bus.

Perico: (Despreciativo). ¡Qué pregunta! En la parada de los buses, por supuesto. A no ser que usted lo sepa tomar cuando se está moviendo.

Viajero: Sí, sí, pero, ¿por dónde pasa el bus?

Perico: ¡Por la calle! ¡Eso lo sabe todo el mundo! ¿Por dónde quiere que pase? ¿Por la vereda?

Viajero: (Poniéndose nervioso). Mira: Si tú tuvieras que ir a la estación para salir de viaje, ¿qué harías?

Perico: Iría a despedirme de mi papá y mi mamá.

Viajero: Bien, bien, ¿y después?

Perico: Después me despediría de mi tía Rosa,

qué siempre me da mil pesos cada vez que voy a verla, y después iría a donde…

Viajero: (Desesperado, gritando). ¡Mamma mía!

Perico: No, a ver su mamá no iría, porque ni siquiera la conozco.

Viajero: Pero dime: ¿Nunca has estado en la estación?

Perico: Sí, muchas veces.

Viajero: ¿Y te fuiste en bus?

Perico: ¡Claro!

Viajero: (Con cara de alivio). ¡Por fin! ¿Y qué decía el letrero del bus?

Perico: Decía: "Prohibido hablar con el conductor".

Viajero: ¡Por fuera! ¡Quiero decir por fuera! Cuando te subiste, ¿no te fijaste qué decía el bus por fuera?

Perico: Decía que los jabones Alba son los que limpian mejor. Era un letrero enorme.

Viajero: ¡El letrero del recorrido! ¿Qué decía el letrero del recorrido del bus?

Perico: Los letreros nunca dicen nada.

Viajero: (Mirando el reloj). Por tu culpa voy a perder el tren.

Perico: Bueno, en qué quedamos: ¿quiere subirse al bus o al tren?

Viajero: (Mordiéndose los dedos). ¡¡¡Aaaaahhhh!!!!
(Sale de la escena, seguido de Perico)

Unda, Rubén (comp.) *Teatro escolar representable I.* México, SEP/Arrayán, 2004 (col. Libros del Rincón).

Comenten:
- ¿Con qué signo se señala la participación de cada personaje?
- ¿Cómo se indica lo que debe hacer cada personaje?
- ¿Cómo se sabe cuándo entra y sale del escenario cada personaje?
- ¿Qué otros textos conocen que usen este formato?

Seleccionen una pastorela, la que más les haya gustado, y léanla en voz alta.

Formen nuevos equipos. En cada uno debe haber lectores de tres pastorelas diferentes. Con la información que cada uno proporcione, llenen un cuadro comparativo en su cuaderno.

La organización del teatro

Repartan las principales funciones necesarias para presentar la pastorela:

1. **Director de escena**. Su tarea es coordinar todas las actividades de los participantes.
2. **Actores**. Representan a los personajes.
3. **Escenógrafos**. Se encargan de diseñar el escenario y a veces el vestuario.
4. **Encargados de luz y sonido**. Ambientan el escenario para destacar las acciones de los personajes. Generalmente, usan música y luz.
5. **Apuntador**. Apoya a los actores dictándoles o colocando letreros para que éstos recuerden los parlamentos cuando son muy largos.

Los alumnos que no tengan alguna tarea de manera directa en la puesta en escena, pueden participar anotando observaciones para mejorar la participación de los personajes.

Formen parejas y elijan al personaje que les tocará representar.

   a) Determinen la caracterización.
   b) Sugieran los gestos y el tono de voz que usarán.
   c) Elijan el tipo de vestuario y la apariencia física de los personajes.

○●○ Consulta en...

http://redescolar.ilce.edu.mx/redescolar/act_permanentes/teatro/pastorela_2006/primera.htm
http://www.mexicodesconocido.com.mx/las-pastorelas-en-mexico.html
http://sepiensa.org.mx/contenidos/s_pastorelas/pastorelas.htm

La selección de los actores

Lean en voz alta los diálogos de los personajes en voz alta para que, entre todos, sugieran las adecuaciones pertinentes (volumen, tono, ritmo, gestos, movimientos).

Para ello, participen en una *lectura dramatizada*; es decir, lean en voz alta los diálogos, con el tono de voz y los gestos propios de su personaje.

Realicen una lectura cuidadosa de la pastorela que van a representar antes de hacer la lectura dramatizada para reconocer las características de los personajes.

Junto con el grupo, sugieran en qué lugar de la escuela se puede montar el escenario y hacer la representación. Anoten en el pizarrón las propuestas y discutan las ventajas y desventajas de cada una. Apóyense en una tabla como la de abajo para observar y evaluar las sugerencias y poder tomar una decisión acertada.

Lugar	Ventajas	Desventajas
El patio de atrás.	Es un lugar donde caben muchas personas.	Tal vez sea difícil colocar el escenario contra una pared.

De escenarios y escenografías

Una vez que hayan decidido dónde colocarán el escenario, entre varios compañeros realicen un boceto o dibujo de la escenografía. Cada equipo pegará su boceto en la pared junto al de sus compañeros; seleccionen el más adecuado para la trama de la pastorela elegida; consideren sus recursos.

Elaboren una lista de los materiales que necesitarán para la escenografía elegida. Si es posible usen material reutilizable. Echen mano de su imaginación.

Para diseñar y elaborar el vestuario, trabajen con el compañero con el que analizaron los personajes. Diseñen el traje y los elementos de apoyo que necesita cada personaje, pueden ser elementos simbólicos, un bastón o un paraguas. Para el vestuario, por ejemplo, pueden usar ropa que ya tienen, o crearla con papel y material de reúso: sábanas viejas, retazos de tela, máscaras hechas con cartón, etcétera. Lleven todo el material al salón para que confeccionen el vestuario.

Estudien los diálogos de su personaje y las indicaciones que están entre paréntesis (acotaciones).

Los ensayos

Ya han trabajado con los diálogos, ahora les toca revisar las acciones, los movimientos, las entradas y salidas de los personajes, los tiempos de escena y el momento en el que entrarán la música, los sonidos y la luz.

Si pueden ensayar en varias ocasiones, la función saldrá mejor. En el último ensayo, monten el escenario y revisen que los movimientos, entradas y salidas planeadas se ajusten a los espacios.

Los invitados

Revisen el funcionamiento de la luz y del sonido para que no fallen.

¡Primera llamada! En grupo decidan cuántas funciones van a presentar.

Es momento de elaborar las invitaciones para la comunidad escolar (maestros, padres, alumnos de otros grupos) que asistirán a la presentación de su pastorela. ¿Qué te parece si les diriges una carta para invitarlos?

HOY FUNCIÓN DE TEATRO

"Mis **vecinos** son extraterrestres"

Escrita y dirigida por:
Ernesto Raúl Pérez Granados
Con la actuación especial de:
Rosalía González

Los esperamos a las 5:00 pm
Cuota de recuperación: $50

¡NO FALTEN!

Redacta con el grupo la carta que servirá para invitar a la comunidad a presenciar su obra. Usa el siguiente formato:

> (Lugar y fecha completa del día en que se escribe la carta)
>
> _____
>
> (Vocativo: persona o personas a quienes va dirigida la carta)
>
> _____
>
> **Contenido**
>
> Los alumnos de 4º. grado de la escuela "_____ _____" tienen el honor de invitarlos a la representación de "_____ _____", que se realizará el día _____, a las _____, dentro de las instalaciones del plantel.
>
> **Despedida**
>
> Esperamos contar con su agradable presencia.
>
> **Firma**
>
> Atentamente
>
> Alumnos de 4º grado de la escuela "_____ _____".

Completen el formato. Adapten la carta según sea necesario. Revisen la ortografía. Pasen la carta en limpio. Elaboren una lista de las personas a quienes les entregarán la invitación y reproduzcan las cartas que sean necesarias; entréguenlas a padres, maestros y jefes de grupo de los otros grados de acuerdo con la lista elaborada.

○○○ Consulta en...

Para conseguir guiones de teatro, recomendaciones para realizar vestuario y escenografía, y conocer más acerca de las pastorelas, visita los siguientes sitios:

http://redescolar.ilce.edu.mx/redescolar/act_permanentes/teatro/segun_llama.html
http://www.mexicodesconocido.com.mx/notas/1885-Las-pastorelas

Logros del proyecto

Después de las funciones, comenta con tu grupo:

- ¿Qué te gustó de las pastorelas?
- ¿Qué experiencias y conocimientos adquiriste con la puesta en escena de la pastorela?
- ¿Qué diferencia encuentras entre una obra de teatro y otro tipo de texto?

Producto final

¡Primera llamada!

¿Están listos para presentar la pastorela en los días y horarios convenidos? Es común que antes de salir a escena, los actores se pongan nerviosos. A esta sensación se le llama "pánico escénico". Estos sentimientos son normales, y hasta los actores más experimentados sienten "mariposas en el estómago" antes de salir a escena, así que no se preocupen si se sienten nerviosos.

¡Segunda llamada!

Respiren profundamente y olvídense del público. Diviértanse con la obra, es lo más importante.

¡Tercera llamada, empezamos!

Presenten la pastorela. Si se les olvida un diálogo… miren a su apuntador.
   Al final, agradezcan los aplausos; con seguridad, serán muchos.

Autoevaluación

Es momento de revisar lo que has aprendido después de trabajar con este proyecto. Lee los enunciados y marca con una palomita (✓) la opción con la cual te identificas

	Lo hago muy bien	Lo hago a veces y puedo mejorar	Necesito ayuda para hacerlo
Identifico entre varios textos, el formato de las obras teatrales.			
Identifico a un personaje por sus descripciones, diálogos y formas de participar.			
Escribo cartas formales de invitación.			
Menciono el tema y los personajes que intervienen en una pastorela.			

	Lo hago siempre	Lo hago a veces	Necesito ayuda para hacerlo
Participo en la toma de acuerdos para trabajar en equipo.			
Colaboro en una representación teatral.			

Me propongo mejorar en: _____

_____

PROYECTO: Elaborar un instructivo para manualidades

El propósito de este proyecto es redactar instructivos con los que otros compañeros elaborarán manualidades para utilizar en casa (por ejemplo, costureros, portacartas, portalápices) o para decorar el salón de clases. Los instructivos son textos que tienen una importante utilidad. Sirven para saber cómo hacer muchas cosas: armar objetos, participar en alguna actividad, ¡y hasta cocinar!

Para este proyecto necesitarás:
- Instructivos
- Revistas
- Cartulinas
- Papel para envolver regalos
- Tijeras
- Palitos de madera
- Hilo de cáñamo

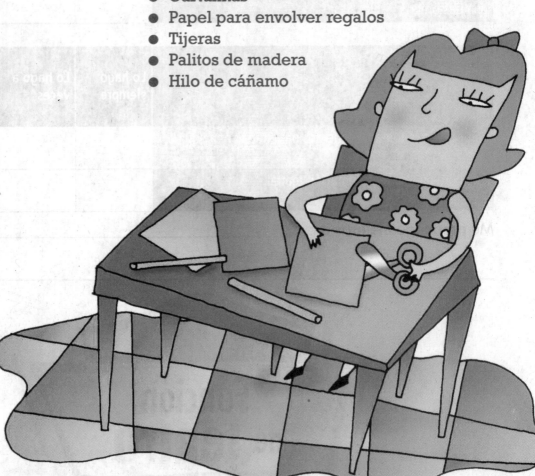

Lo que conozco

Comenta qué manualidades has elaborado y cómo las has realizado.

¿Hubieras realizado estas manualidades sin que te dijeran cómo hacerlas?

¿Recuerdas haber utilizado un instructivo?, ¿para qué era?

En los grados anteriores realizaste recetarios, ¿recuerdas la manera de presentar indicaciones? Contesta en tu cuaderno las preguntas y compara las respuestas con el resto del grupo.

Revisa el siguiente instructivo para elaborar un móvil de estrellas.

En equipos, ordenen la secuencia de imágenes de acuerdo con la acción que describen.

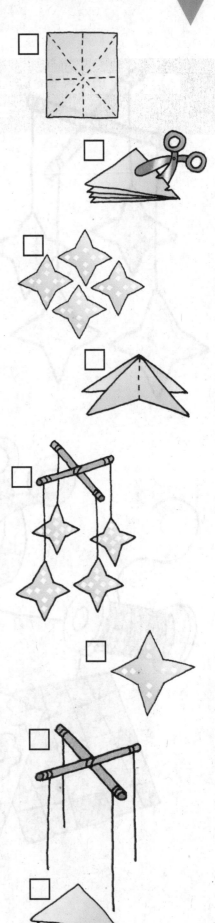

Móvil de estrellas

Materiales

» Hojas de 18 x 18 cm (pueden ser recortes de revistas o papel para envolver)
» Tijeras de punta roma
» Dos palos de madera
» Hilo

Instrucciones

1. Dobla la hoja por la mitad y marca el doblez. Extiéndela nuevamente, realiza la misma operación pero volteando la hoja para que quede una cruz marcada. Después realiza la misma operación pero formando un triángulo, extiende la hoja y continúa del otro lado. Al extender la hoja deberá quedar un asterisco marcado en el centro.

2. Junta las líneas diagonales hacia el centro para formar una estrella de cuatro puntas.

3. Junta cada una de las puntas para que quede un triángulo.

4. Con las puntas juntas a manera de triángulo, realiza pequeños cortes en la parte externa.

5. Al separar nuevamente las puntas, debe quedar una estrella similar al papel picado.

6. Elabora un total de cuatro estrellas.

7. Ata los palos de madera con el hilo para que queden en forma de cruz. De los extremos de los palos amarra hilos de distinto largo.

8. Cuelga las estrellas de los hilos y ya está, un lindo y económico móvil.

Explica en tu cuaderno qué utilidad tienen las imágenes en un instructivo. Luego comenta las respuestas con tu equipo.

Lean otra vez las instrucciones y después elaboren el móvil de estrellas siguiendo el orden indicado.

Entre todos elijan una manualidad de las que elaboraron en el salón. En el pizarrón o en una hoja de rotafolios dibujen, paso a paso, el esquema de la manualidad elegida, para que otros compañeros puedan comprenderlos. Después, redacten las instrucciones para cada dibujo o esquema elaborado.

Recuerden que un instructivo debe tener indicaciones breves pero comprensibles de los pasos que deben seguirse.

Después de leer las instrucciones, analicen lo que escribieron y modifiquen las instrucciones si consideran que no son claras y precisas, para que se entiendan bien.

Pasen en limpio el instructivo en una cartulina u hoja de rotafolio. Este trabajo es un modelo que deberán seguir para elaborar los instructivos de cada equipo.

Mi diccionario

Frecuentemente, en los instructivos se usan palabras poco comunes: ribetea, orna, punza, platea, esparce, adhiere, taja, secciona. Búscalas en el diccionario, ¿las encontraste tal y como están en los instructivos? ¿Cómo debes buscar los verbos en un diccionario?
Busquen algunos verbos y expongan sus conclusiones. Acuerden cómo anotarán los verbos que definirán en la sección de su Diccionario.

Lee las siguientes instrucciones:

Campanas con cascarones de huevo

Materiales:

- Cascarones de huevo
- Pintura acrílica dorada o plateada
- Listón rojo delgado
- Un pincel
- Pegamento blanco o silicón

Instrucciones:

1. Enjuagar y limpiar los residuos de los cascarones.
2. Cortar con cuidado los cascarones por la mitad.
3. Pintar los cascarones por fuera y por dentro.
4. Hacer moños pequeños con el listón rojo.
5. Pegar los moños en la parte superior de la "campana" hecha de cascarón.

Observen cómo están redactadas las oraciones del instructivo. Subrayen los verbos. Anoten cuál es la terminación de cada verbo:

_____

¿Saben cómo se llaman los verbos cuando terminan en esas sílabas? Se dice que los verbos están en _____

Otra manera de redactar los instructivos es la forma imperativa. En este caso el verbo se emplea en modo imperativo; es decir, que expresa órdenes o indicaciones.

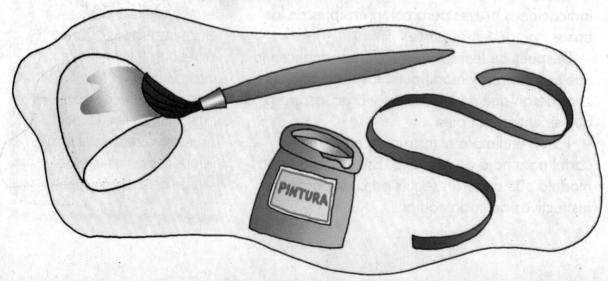

Cambia las oraciones del instructivo al modo imperativo.
Sigue el ejemplo:

1. *Enjuaga y limpia* los residuos de los cascarones.

2. _____

3. _____

4. _____

5. _____

Lee las siguientes instrucciones.

Para elaborar el portarretratos de masa de sal necesitas una taza de harina media taza de sal agua la necesaria una gota de pintura vegetal y un trozo de cartulina de 16 x 12 cm prepara la masa mezclando la sal y el harina forma un hueco en el centro y agrega un poco de agua con una gota de color vegetal de tu preferencia y mezcla los ingredientes hasta formar una masa si se hacen grumos agrega un poco más de agua forma con la masa el marco del portarretratos deja secar durante un día de preferencia bajo el sol pega el cartón al portarretratos únicamente por tres lados para que puedas meter la fotografía

Como puedes darte cuenta, este instructivo carece de signos de puntuación y mayúsculas.

Trabajen en parejas, ordenen el instructivo y coloquen los signos de puntuación necesarios.

Con tu equipo, lee el instructivo otra vez para comprobar que se entiende. Intercambia tus escritos con otros equipos y revísalos. Señala las sugerencias y devuélvelo al equipo redactor. Una vez que devuelvas los textos originales a sus autores, considera las observaciones y pasa en limpio tu texto, tal vez en una cartulina.

Comparen sus respuestas entre sus compañeros.

Elaboren su instructivo

Divídanse en equipos y seleccionen alguna manualidad para elaborar su instructivo:

1. ¿Qué materiales y utensilios son necesarios para elaborar la manualidad? Elaboren una lista de materiales. Recuerden anotar cantidades, por ejemplo: dos cuadros de 5 x 5 cm o dos palitos de madera. Verifiquen la lista para asegurarse de que no les falta ningún material.

2. Realicen los esquemas que apoyarán sus instrucciones. Elaboren los necesarios para que se comprenda cada paso de las instrucciones.

3. Redacten las instrucciones para cada esquema. Utilicen la puntuación necesaria (puntos o comas) si necesitan escribir más de una instrucción por diagrama.

4. Numeren las indicaciones y lean en voz alta su texto. Revisen si las instrucciones se comprenden. Si es necesario, corríjanlas.

Portarretratos de masa de sal

Materiales

_____

_____

_____

_____

Instrucciones

1. _____

2. _____

3. _____

4. _____

Producto final

En un plan de trabajo se anotan las actividades que se realizarán y las personas responsables de cada una. Elabora un plan para decorar el salón de clases o la escuela.

Revisen los instructivos que redactaron:

1. Determinen, de acuerdo con el tipo de lenguaje utilizado, qué actividades resultaron más sencillas y cuáles más complejas.
2. Con base en esos criterios, determinen qué manualidades podrían ser entregadas a otros grados de acuerdo con la edad de los alumnos.
3. Organicen la presentación de instructivos a los otros grados. Llenen la siguiente tabla para ordenar mejor el trabajo.

Grado	Nombre de la manualidad	Alumnos responsables (explicación e instructivo)
1°		
2°		
3°		
4°		
5°		
6°		

4. Muestra a los compañeros más pequeños cómo elaborar una manualidad.

5. Lleva la muestra de la manualidad que guardaste al comienzo del proyecto como modelo para los otros grupos.

6. Trabaja con tus compañeros su manualidad y, una vez terminadas, reúnan los trabajos.

Organicen una sesión de "Armado" y forma los equipos que decorarán cada sección del salón de la escuela. Coloca los trabajos en forma de exposición: unos pegados en la pared, otros montados en soportes.

Logros del proyecto

- ¿Cómo elaboraste las manualidades?
- ¿Qué elementos te ayudaron a que el instructivo se entendiera claramente?
- ¿Cómo ayuda el uso de signos de puntuación en un instructivo?
- ¿Qué imágenes usaste para apoyar las instrucciones?
- ¿Cómo las seleccionaste?

Autoevaluación

Es momento de revisar lo que has aprendido después de trabajar con este proyecto. Lee los enunciados y marca con una palomita (✓) la opción con la cual te identificas

	Lo hago muy bien	Lo hago a veces y puedo mejorar	Necesito ayuda para hacerlo
Con ayuda del maestro, puedo elaborar un plan para la escritura de un instructivo a partir de un esquema.			
Analizo la dificultad de un texto.			
Identifico las partes de un instructivo y cómo se distribuye la información en el texto.			
Atiendo al orden cronológico de los acontecimientos al describir procedimientos.			
Incluyo detalles relevantes en las descripciones que elaboro.			

	Lo hago siempre	Lo hago a veces	Necesito ayuda para hacerlo
Acepto participar armoniosamente en el trabajo en equipo.			
Respeto lo que dicen mis compañeros.			
Pongo atención a lo que dicen mis compañeros y valoro sus propuestas.			

Me propongo mejorar en:_____

_____

Evaluación del bloque II

Subraya la opción correcta.

1. La información en una monografía se organiza a partir de:
    a) rimas y ritmo
    b) actos y escenas
    c) temas y subtemas
    d) dibujos y preguntas

2. La pastorela está escrita en el formato de:
    a) cuento
    b) poesía
    c) teatro
    d) narración

3. Es la función del apuntador en la representación de una obra:
    a) Diseñar y organizar los escenarios.
    b) Apoyar a los actores.
    c) Apoyar al director de escena.
    d) Representar a los personajes.

4. Es la función de un instructivo:
    a) Contar las historias para que se entiendan.
    b) Desarrollar la inteligencia de los lectores.
    c) Facilitar la realización de actividades.
    d) Acompañar el trabajo manual.

PROYECTO:

Preparar, realizar y reportar una entrevista a una persona experta en un tema de interés

El propósito de este proyecto es realizar una entrevista para publicarla en el periódico escolar. Para esto, planificarás una entrevista y revisarás las formas de reportarla.

En los distintos medios de comunicación se realizan entrevistas para obtener información acerca de las experiencias y conocimientos de las personas. Las entrevistas se usan también para investigar.

Para este proyecto necesitarás:
- Hojas blancas
- Un sobre
- Una grabadora (opcional)

Lo que conozco

- ¿Has visto, escuchado o leído alguna entrevista?
- ¿Recuerdas alguna que puedas comentar con tus compañeros de clase?
- ¿Cuántas personas dialogaban?
- ¿A quién se entrevistaba?
- ¿Qué comentario del entrevistado fue el que llamó más tu atención?
- ¿Conoces cómo se elabora una entrevista?
- ¿Sabes qué es un guión de entrevista?
- ¿Alguna vez has sido entrevistado o participado como entrevistador?

Comenta con tus compañeros tus respuestas y experiencias.

En México, las instituciones que tienen como función el cuidado de la salud (Instituto Mexicano del Seguro Social, Instituto de Seguridad y Servicios Sociales de los Trabajadores del Estado y Secretaría de Salud) realizan campañas de prevención. En algunas de éstas se incluyen entrevistas a los expertos, para conocer su opinión y sus recomendaciones para prevenir enfermedades. A continuación se presenta una entrevista al médico Pedro Ancona. Léela con atención.

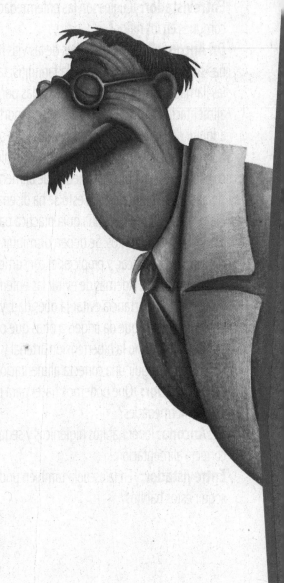

Entrevistador: Buenos días, doctor, gracias por conceder esta entrevista cuyo tema es el cuidado de la salud.

Dr. Ancona: Buenos días, con gusto contestaré tus preguntas.

Entrevistador: Para comenzar, ¿qué es la salud?

Dr. Ancona: Es el estado de equilibrio del cuerpo con el ambiente y con su medio interno. Para lograrlo hay que establecer hábitos.

Entrevistador: ¿Hábitos? ¿Como cuáles?

Dr. Ancona: Lo primero es la higiene, una costumbre que se forma a lo largo de nuestra vida, y que seguimos todos los días para conservar la salud y evitar enfermedades. Algunos de estos hábitos son bañarse diariamente, lavarse las manos antes de comer y después de ir al baño, hervir el agua y comer sólo alimentos preparados en casa. También son hábitos de higiene cubrirse con un pañuelo o con el antebrazo y la nariz o la boca al estornudar o toser, para no contagiar a los demás.

Entrevistador: ¿Cuáles son las enfermedades más comunes en los niños?

Dr. Ancona: Las enfermedades de las vías respiratorias superiores como la gripe y la faringitis; también, las llamadas gastrointestinales causadas por la mala alimentación y otros factores. Es muy importante adquirir el hábito de comer correctamente, con las manos limpias, alimentos preparados con higiene, considerando una buena variedad de alimentos, sin abusar de ninguno. Para esto se ha diseñado el Plato del Bien Comer, es una guía práctica para saber combinar los alimentos. Se deben disminuir grasas, carbohidratos, azúcar, y propiciar el consumo de verduras y frutas. Además de evitar las enfermedades, es de suma importancia evitar la obesidad, ya que es una enfermedad que da origen a otras que pueden ser mortales, como la hipertensión arterial y la diabetes. Es mejor seguir una correcta alimentación.

Entrevistador: ¿Qué podemos hacer para prevenir estas enfermedades?

Dr. Ancona: Tener hábitos higiénicos y seguir una correcta alimentación.

Entrevistador: ¿En la escuela también podemos seguir estos hábitos?

Dr. Ancona: Claro que sí. Es importante conservar las manos siempre limpias; lavárselas antes y después de ir al baño, después de jugar y antes de comer; no compartir ropa ni ingerir líquidos del mismo envase de otros compañeros.

Entrevistador: Para terminar esta entrevista, ¿qué sugiere a los niños para tener una vida sana?

Dr. Ancona: Practicar siempre sus hábitos de higiene, dormir bien, hacer ejercicio y que el médico revise periódicamente su salud por lo menos una vez al año.

Entrevistador: Muchas gracias por su tiempo, doctor, esta información es muy útil. Fue un gusto conversar con usted.

Dr. Ancona: El gusto es mío. Hasta luego.

**Entrevista realizada por un alumno
de 4° grado de la escuela primaria
"Adolfo López Mateos"**

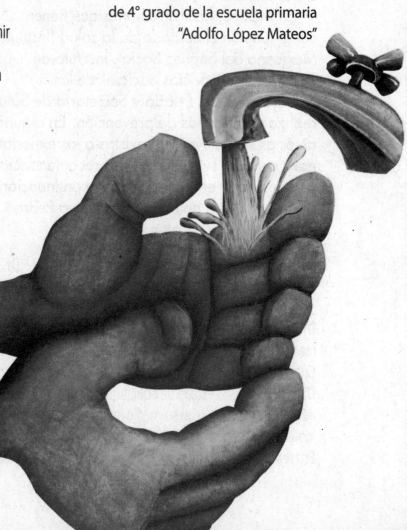

Una manera de obtener información
es por medio de preguntas. Revisen la
entrevista y comenten:

- ¿Qué desea saber el entrevistador?
- ¿Qué otras preguntas harían al médico
para obtener más información?

Las *entrevistas* pueden ser *escritas*
y *orales*. Cuando son orales es necesario
transcribirlas; es decir, ponerlas por
escrito. En este caso, los signos de
puntuación son muy importantes.
Observen cómo han sido empleados en la
transcripción que leyeron.

- ¿Qué signos se utilizaron?
- ¿Qué utilidad tienen en el diálogo?

Revisen sus respuestas con el resto del grupo.

Antes de realizar una entrevista necesitan
elaborar un guión para tener claro qué datos se
quieren obtener. Para determinarlos comenten
con su maestro y con todo el grupo sobre qué
tema les parece que es importante conocer más.

Por ejemplo, revisen en el Bloque III de su
libro de Ciencias Naturales, donde se estudia
el tema "La cocción y descomposición de
los alimentos", algunos subtemas como la
conservación de los alimentos.

Lean el tema en su libro de Ciencias Naturales y elaboren un cuadro sinóptico con la información que proporciona. Señalen el tema general y los subtemas. De estos temas podrían desprenderse las preguntas.

En equipo seleccionen un tema sobre el cual les gustaría conocer más. Argumenten las razones por las que eligieron ese tema y localicen información sobre éste en los libros de texto o en la biblioteca del aula o de la escuela.

Para seleccionar a la persona que cada equipo entrevistará, investiguen quiénes son los expertos en el tema elegido y propongan a una o varias personas que podrían ampliar la información que han consultado en los libros, para que sean entrevistadas.

Argumenten las razones por las que la persona propuesta es idónea para ampliar el tema que están investigando.

Para hacerlo pueden apoyarse en la siguiente tabla.

	Tema	Razones por las que les gustaría saber más acerca de ese tema	Personas a las que se les podría preguntar sobre el tema	Subtemas en los que se puede dividir el tema
1				
2				
3				
4				

Cada equipo presenta al grupo su propuesta con el fin de seleccionar un tema y trabajar conjuntamente. Al argumentar, tomen en cuenta las razones que anotaron en el cuadro anterior.

Escriban las ideas principales sobre el tema que eligieron en una cartulina que pegarán en un lugar visible del salón de clases.

Analicen la información que conocen acerca del tema y formulen preguntas para el experto. Recuerden que sus respuestas deben ampliar la información que ya tienen.

Por el modo de plantear una pregunta, hay dos tipos de respuestas: *abiertas* y *cerradas*. Las *preguntas de respuesta abierta* permiten al entrevistado ofrecer una explicación más amplia sobre el tema tratado y permiten al entrevistador obtener más información. Por esta razón es preferible usarlas en la entrevista.

Elaboren distintas preguntas para ampliar la información del tema seleccionado. Su maestro las irá anotando en el pizarrón para que entre todos elijan las más adecuadas.

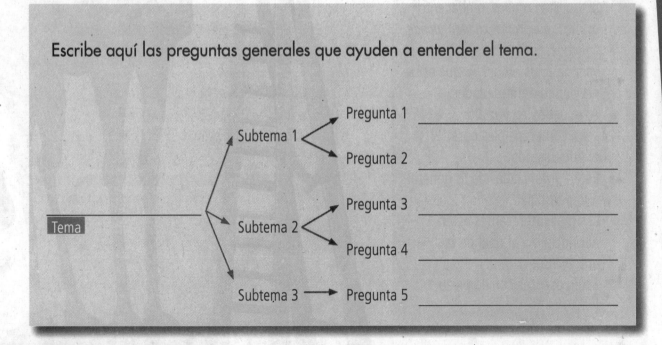

Escribe aquí las preguntas generales que ayuden a entender el tema.

Tema

Subtema 1 → Pregunta 1 _____

Subtema 1 → Pregunta 2 _____

Subtema 2 → Pregunta 3 _____

Subtema 2 → Pregunta 4 _____

Subtema 3 → Pregunta 5 _____

Fichero del saber

Busca ejemplos de estos dos tipos de discursos y cópialos o recórtalos para pegarlos en tu Fichero del saber. Para redactar las preguntas de su entrevista tomen en cuenta que:

- Esté seleccionado el experto a quien entrevistarán.
- No se repitan, y se descarten las preguntas que no tienen relación con el tema elegido.
- Los signos de interrogación se usen de manera adecuada. Con este signo (¿) comienzan las preguntas y éste (?) señala el final.
- El acento gráfico se use correctamente. Al preguntar, las palabras *qué*, *cómo*, *por qué*, *cuándo* y *dónde* deben llevar acento·gráfico. Cuando éstas palabras se incluyen en las respuestas no llevan el acento gráfico: *que*, *como*, *cuando*, *donde* y *porque*. Por ejemplo, ¿*Por qué* se vacuna a los niños? *Porque* así se previenen enfermedades.
- Al releerlas en voz alta sean comprensibles para el entrevistado.
- Estén organizadas de lo general a lo particular.
- Las más interesantes estén al principio y al final de la entrevista.
- Estén escritas con limpieza.

Una vez elegido el tema y al entrevistado, y redactadas las preguntas, es necesario acordar una cita con el experto. Escriban una carta formal para invitar al especialista a que asista a su escuela.

Abajo aparece la carta que escribieron varios alumnos para invitar al doctor Ancona a que visitara su escuela para ser entrevistado.

Huejutla, Hidalgo, 15 de febrero de 2010.

Estimado doctor Pedro Ancona:

Le enviamos esta invitación para solicitarle que visite nuestra escuela, con el propósito de realizarle una entrevista sobre el tema "Cuidado de la salud".

Las fechas que sugerimos son las siguientes: lunes 17, martes 18 o miércoles 19 del presente mes, entre las 8 y las 10 de la mañana.

Esperamos su respuesta y agradecemos su atención.

Atentamente
Alumnos de 4º año.
Escuela primaria "Adolfo López Mateos"

Lee la siguiente carta.

15 de junio, 2010

Querida prima:

El próximo domingo cumplo nueve años y mis papás harán una fiesta en la casa. Quiero que vengas y traigas a los amigos que vinieron contigo el año pasado.

Mi mamá preparará una comida muy sabrosa y tendremos muchos juegos. Por favor, no falten.

Ana María

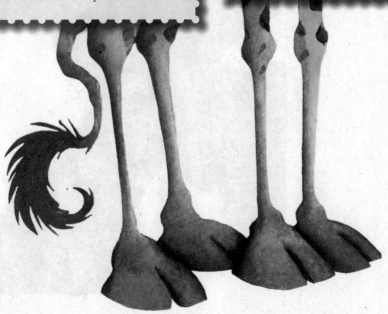

Fichero del saber

Tipos de cartas

La *carta formal* es un documento breve y conciso que omite frases coloquiales y tuteos. Establece una distancia con el receptor de la carta, por eso en ocasiones este tipo de cartas se escriben en tercera persona.

Las *cartas informales o privadas* suelen ser más cercanas.

Elaboren ejemplos de lo anterior y anótenlos en una ficha.

Revisen los elementos que contienen los ejemplos de cartas. ¿Qué diferencias encuentran entre una carta formal y una informal?¿Cómo está escrita cada una?

En equipo, completen el siguiente cuadro comparativo de acuerdo con las características de cada tipo de carta:

Elementos	Carta informal	Carta formal
Forma en la que se escribe la fecha		
Tipo de lenguaje		
Ejemplos de saludo		
Ejemplos de despedida		

Comparen sus respuestas con el resto del grupo.

Escriban en el pizarrón la carta de invitación que enviarán a la persona que entrevistarán.

En grupo revisen que la carta esté escrita con lenguaje formal y que mencione claramente el motivo de la invitación, el propósito y el tema de la entrevista.

Revisen las partes de la carta, la distribución del texto en el espacio, la puntuación y el uso de mayúsculas en nombres propios y al principio de cada párrafo.

Cuando la carta esté corregida, pásenla en limpio en una hoja blanca, dóblenla y métanla en un sobre con los datos del remitente y del destinatario.

Remitente
(nombre y dirección de quien envía la carta)

Destinatario
(nombre y dirección de a quién está dirigida la carta)

Plan para la entrevista

Una vez revisado y corregido el cuestionario, organicen equipos. A cada uno el maestro le asignará una tarea diferente. Las tareas son las siguientes:

- *Encargados de escribir la carta y de entregarla al entrevistado.* Revisan y verifican la información de la carta: datos, fechas, horarios, redacción y ortografía. Si es conveniente, la pasan en limpio y la hacen llegar al invitado.
- *Edecanes.* Reciben al invitado y lo conducen a donde se realizará la entrevista, que en este caso será el salón de clases.
- *Entrevistadores.* Son los responsables de hacer las preguntas al entrevistado. Con la ayuda de un guión, asignan las preguntas y los turnos a cada entrevistador. Consideren un tiempo razonable para cada intervención.
- *Encargados de tomar notas.* Apuntan las respuestas del entrevistado. Por lo menos dos alumnos escribirán las respuestas a cada pregunta realizada, para no perder detalles. Si pueden, utilicen una grabadora y después transcriban la entrevista.

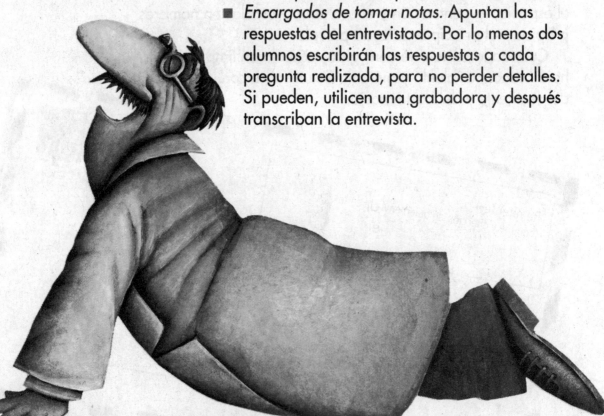

1. *Una vez que el invitado llegue a la escuela.* Las personas que fungen como edecanes lo llevarán al salón donde estará preparada una silla para él y otras para quienes lo entrevistarán. Los demás alumnos serán espectadores.

2. *Al realizar la entrevista.* Respeten los turnos, las preguntas y los tiempos asignados en el guión. Los encargados de tomar notas o de grabar deben estar cerca del entrevistado y tener una copia de las preguntas; anotarán la respuesta junto a la pregunta.

3. *Una vez concluida la entrevista.* Agradecerán a su invitado por su participación y lo despedirán. Los edecanes lo acompañarán a la salida y lo invitarán a regresar en otra ocasión.

4. *Es hora de hacer el reporte de la entrevista.* Pueden elaborarlo de dos maneras: utilizando el discurso *directo* o el *indirecto*.

Si en el reporte de una entrevista se transcribe el diálogo se dice que se emplea el *discurso directo*; es decir, que todas las palabras se escriben tal como las dijo el entrevistado.

Se emplea el *discurso indirecto* si las respuestas del entrevistado se redactan en tercera persona, por ejemplo: él dijo que…

Cuando se mencionan las palabras del entrevistado tal como las dijo, se escriben entre comillas (" "). A esta forma de citar lo que dijo el entrevistado se le denomina *cita textual*.

Fichero del saber

Busca ejemplos de estos dos tipos de discursos y cópialos o pégalos en tu Fichero del saber.

Hagan ejercicio.

Discurso directo

… y nos dijo que debíamos hacer ejercicio.

Discurso indirecto

Este es el reporte de la entrevista que leyeron al principio de este proyecto.

Entrevista al Doctor Pedro Ancona

El pasado 17 de febrero de este año, contamos con la presencia del médico Pedro Ancona, a quien entrevistamos sobre un tema de gran importancia para todos: cómo preservar la salud.

El doctor Ancona explicó que "la salud es un estado de equilibrio entre el cuerpo con el ambiente y el medio interno".

Asimismo agregó que los hábitos higiénicos deben practicarse toda la vida para conservar la salud, y mencionó como ejemplo de hábitos lavarse las manos *así como* consumir alimentos preparados con limpieza.

Al preguntarle acerca de las enfermedades entre los niños, mencionó que las más comunes son "las enfermedades del estómago, gastroenterales o gastrointestinales; y las enfermedades de las vías respiratorias superiores, como gripe y faringitis".

Afirmó que para prevenir dichas enfermedades es importante llevar una buena alimentación y seguir los hábitos higiénicos. Al respecto, señaló que en la escuela es necesario lavarse las manos, llevar comida hecha en casa y no compartir envases para tomar líquidos.

Para concluir, propuso practicar los hábitos de higiene, dormir bien, hacer ejercicio y visitar al médico con regularidad.

Finalmente le agradecimos su visita y el tiempo que dedicó a esta entrevista. Es responsabilidad de todos practicar hábitos de higiene para evitar enfermedades y mantener una buena calidad de vida.

Ya leyeron dos maneras de presentar una entrevista (página 69 y página 80). Las dos contienen la misma información, pero es distinto el modo de expresar lo que se dice.

¿Qué diferencias encuentran entre las dos formas de reportar la entrevista? ¿Cambia el uso de los signos de puntuación entre una y otra? ¿Cómo?

Vuelve a leer el informe de entrevista de la página 80 y observa para qué se utilizan las palabras escritas en cursivas.

El reporte

Ahora elaborarán en equipo un informe o reporte de la entrevista utilizando el discurso indirecto.

En equipos de tres integrantes realicen las siguientes actividades.

- Elaboren el reporte de la o las preguntas que les hayan tocado.
- Revisen el informe. Observen que contenga todo lo que el experto dijo. Completen la información que falte, y en caso de que se haya grabado la entrevista, comparénla con la grabación.
- Redacten de forma indirecta las respuestas; si es necesario, incluyan alguna cita textual y empleen las comillas.
- Lean en voz alta las respuestas redactadas por todos los equipos y revisen que el escrito coincida con lo dicho por el entrevistado.

○○○ Consulta en...

En los siguientes sitios podrás encontrar más ejemplos de entrevistas:
http://www.redescolar.ilce.edu.mx
http://www.elbalero.gob.mx

Logros del proyecto

Comenten en plenaria:

- ¿Para qué sirve el guión de la entrevista?
- ¿Cómo determinas las preguntas que incluirás en el guión de una entrevista?
- ¿Qué diferencias existen entre el reporte directo y el indirecto?
- ¿Qué características tiene una carta formal?

Entre todo el grupo, elaboren una carta formal para agradecer a la persona que les concedió la entrevista.
Si es posible, entréguenle también una copia de la entrevista que redactaron entre todos.

Producto final

Es momento de organizar el reporte. Cada equipo tiene una o dos respuestas redactadas de manera indirecta, pero ¿cómo pueden juntar todas las respuestas y escribir un solo reporte de entrevista entre todo el grupo?

Lean los párrafos que escribió cada equipo y decidan entre todos el orden en que se colocarán en el reporte de la entrevista. Recuerden que ya tienen un cuestionario o guión de entrevista que pueden utilizar como guía para ordenar el informe.

Hay palabras que pueden ayudarles a unir las ideas de acuerdo con el sentido que busquen expresar en el reporte, por ejemplo: *comentó que, además, por último, agregó que, por su parte, puntualizó, afirmó,* entre otras. ¿Cómo pueden utilizarlas? Realicen sugerencias para el texto y anótenlas en el pizarrón.

Una vez que todos estén de acuerdo en cómo se unirán los párrafos, agrega a tu reporte de entrevista un *párrafo de introducción* y *uno de conclusión o cierre.*

- Para el párrafo de introducción, puedes mencionar brevemente el propósito por el que se realizó la entrevista, y una breve semblanza del entrevistado: cuándo y dónde nació, cuál es su especialidad y sus logros más destacados.
- En el párrafo de conclusión puedes mencionar cómo terminó la entrevista y tu punto de vista sobre lo que dijo el entrevistado.

Realicen una lectura en voz alta del reporte para verificar que esté bien escrito. Publiquen el reporte de la entrevista en el periódico escolar.

Autoevaluación

Es tiempo de que revises lo que has aprendido después de trabajar en este proyecto. Lee cada enunciado y marca con una palomita (✓) la opción con la cual te identificas.

	Lo hago muy bien	Lo hago a veces y puedo mejorar	Necesito ayuda para hacerlo
Elaboro preguntas para obtener información relevante.			
Distingo entre el discurso directo e indirecto en la redacción de informes de entrevistas.			
Reconozco las características y la función de las entrevistas.			

	Lo hago siempre	Lo hago a veces	Necesito ayuda para hacerlo
Aporto ideas para elaborar las cartas de invitación.			
Respeto a las personas que entrevisto y establezco un diálogo cordial.			

Me propongo mejorar en: _____

_____

PROYECTO: Hacer una presentación de lectura de poesía en voz alta

El propósito de este proyecto es identificar y comentar los sentimientos que expresan los poemas y seleccionar algunos para presentar un recital de poesía.

Los poetas usan las palabras y algunos recursos literarios para expresar emociones e ideas en sus poemas.

El lector se emociona con su lectura y proyecta sus propios sentimientos.

Por eso, organizar un recital, ayuda a conocer la poesía, y al expresarla, lograr que las emociones se compartan entre el lector y los oyentes. ¿De qué modo puedes hacerlo?

Comparte tu opinión con el resto del grupo para que determines cómo lograrás expresar esos sentimientos cuando hagas la presentación de los poemas.

Para este proyecto necesitarás:
- Poemas
- Un pliego de papel
- Música instrumental para acompañar las lecturas

El caracol
(Anónimo)

Aquel caracol
que va por el sol,
en cada ramita
llevaba una flor.
¡Que viva la gala,
que viva el amor,
que viva la gala
de aquél caracol!
[...]

Lo que conozco

En equipo comenten, ¿qué saben acerca de la declamación?

Las rimas son un elemento presente en algunos poemas. ¿Recuerdas en qué consisten? ¿Pueden identificarlas?

Los motivos de los poemas son muy variados, entre otros, están la naturaleza y el amor. Algunos expresan alegría, tristeza, o incluso humor.

Lean el siguiente poema.

Saber sin estudiar
(Nicolás Fernández de Moratín, s. xix)

Admiróse un portugués
de ver que en su tierna infancia
todos los niños en Francia,
supiesen hablar francés.

"Arte diabólica es",
dijo, torciendo el mostacho,
"que para hablar el gabacho
un fidalgo en Portugal
llega a viejo y lo habla mal;
y aquí lo parla un muchacho".

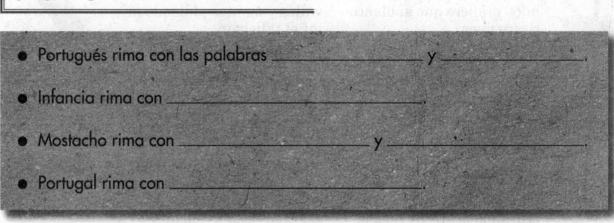

- Portugués rima con las palabras _____ y _____.

- Infancia rima con _____.

- Mostacho rima con _____ y _____.

- Portugal rima con _____.

En equipo, lean el siguiente poema.

La flecha de oro
(Miguel Antonio Caro)

Yo busco una flecha de oro
que, niño, de un hada
adquirí, y "guarda el
sagrado tesoro —me dijo—;
tu suerte está ahí".

Mi padre fue un príncipe;
quiere un día nombrar
sucesor, y a aquel de dos
hijos prefiere que al blanco
tirare mejor.

A liza fraterna en el llano
salimos con brío y con fe;
la punta que arroja mi
hermano clavarse en el
blanco se ve.

En tanto mi loca saeta,
lanzada con ciega ambición,
por cima pasó de la meta
cruzando la etérea región.

En vano en el bosque
vecino, en vano la busco
doquier; tomó misterioso
camino que nunca he
logrado saber.

El cielo me ha visto
horizontes salvado con
ávido afán, y mísero a
valles y montes pidiendo mi
infiel talismán.

Y escucho una voz,
"¡adelante!", que me hace
incansable marchar; repítela
el viento zumbante, me
sigue en la tierra y el mar.

Yo busco la flecha de oro
que, niño, de un hada
adquirí, y "guarda el
sagrado tesoro —me dijo—;
tu suerte está ahí".

Repitan la lectura del poema buscando su ritmo, señalen con la entonación indicada por los distintos signos de puntuación. Por ejemplo, el guión da una pausa mayor que la coma, los paréntesis disminuyen el volumen, en tanto que los signos de admiración y los de interrogación, lo elevan. Comenten con todo el grupo el uso de otros signos de puntuación en el poema que le dan una entonación al leerlo en voz alta.

Al finalizar la lectura, contesten en su cuaderno:

- ¿De qué trata?
- ¿Qué relación tiene el título con lo que dice?
- ¿Qué pretende comunicar el autor?

Comprender la intención del poeta permite identificar las emociones plasmadas en el poema y transmitirlas al leerlo en voz alta.

En equipo, realicen las siguientes actividades:

1. Busquen un poema y llévenlo al salón. Léanlo a sus compañeros y escuchen los que ellos eligieron.
2. Clasifiquen los poemas agrupándolos por motivos. Seleccionen el que más les guste de todos.
3. Repitan la lectura del poema elegido e identifiquen los sentimientos que les despierta.
4. Busquen en el diccionario el significado de las palabras que desconozcan para comprender mejor el poema.
5. Con la orientación del maestro subrayen las comparaciones, en caso de que las haya.
6. Comenten cuáles son los sentimientos y emociones que el autor manifiesta en su poema.
7. Antes de leer su poema frente al resto del grupo, señalen los aspectos más importantes del texto. Al leerlo hagan énfasis en ellos.

Consulta en...

En estos sitios puedes localizar algunos poemas para declamar.
http://www.a.gob.mx
http://www.
elhuevodechocolate.com/

Mi diccionario

Busca las palabras nuevas, incluye en tu diccionario personal las que descubriste y anota su significado. Úsalas al comunicarte cuando lo consideres conveniente.

Un dato interesante

En ocasiones se utilizan las palabras *declamar* y *recitar* con el mismo significado, pero cuando una persona declama le da una entonación al poema, y emplea la expresión gestual y corporal para enfatizar las emociones y los sentimientos del texto. Recitar sólo implica decir el poema en voz alta.

Recuerden que al declamar un poema es importante que la entonación refleje las emociones y los sentimientos expresados por el poeta.

Cuiden el volumen de su voz para que todos escuchen el poema.

Recuerda que "la práctica hace al maestro", así que junto con un compañero ensaya los poemas:

1. Lean el poema frente a su compañero.
2. El que escucha observará que la lectura sea fluida, que el volumen sea adecuado y que la entonación sea pertinente.
3. Después intercambien tareas con otro compañero: quien escuchó leerá y quien leyó atenderá la lectura del poema.
4. Seleccionen un lector, quien se encargará de leer el poema en voz alta.
5. Determina cómo leerá el poema: marca los signos de puntuación, señala cuándo aumenta el volumen, cuándo disminuye y cuándo la lectura tiene que ser lenta o rápida.
6. Entre todo el grupo, organicen la presentación de los poemas. Elaboren en el pizarrón un cuadro con los datos de los poemas que presentarán, el orden, los nombres de los lectores y el tiempo estimado de cada lectura.

Puedes utilizar el siguiente cuadro como modelo.

Título del poema y autor	Qué expresa	Declamador	Duración
1. *Amor eterno*, Gustavo Adolfo Bécquer	Amor	Estela	1 minuto
2. *Táctica y estrategia*, Mario Benedetti		César	2 minutos
3. *Los limpiones*, Margarito Ledesma	Humor	Marco	1 minuto
4. *A una nariz*, Francisco de Quevedo		Adriana	2 minutos

Decidan el orden en el que se presentarán los poemas.

Llenen el cuadro en su cuaderno de acuerdo con la organización que el grupo determine y consérvenlo para el día de la presentación. Éstas son algunas recomendaciones para mejorar, pero pueden sugerir otras:

- Elegir por sorteo al niño o a la niña que será maestro de ceremonias, y que presentará a los declamadores.
- Seleccionar la música para usarla durante la presentación de los poemas.

Ahora elaborarán una invitación para que acudan otras personas a la presentación. Revisen estas invitaciones:

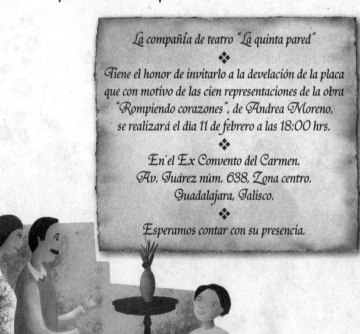

La compañía de teatro "La quinta pared"

❖

Tiene el honor de invitarlo a la develación de la placa que con motivo de las cien representaciones de la obra "Rompiendo corazones", de Andrea Moreno, se realizará el día 11 de febrero a las 18:00 hrs.

❖

En el Ex Convento del Carmen.
Av. Juárez núm. 638, Zona centro.
Guadalajara, Jalisco.

❖

Esperamos contar con su presencia.

El Gobierno del Estado,
a través del Instituto de Cultura

❧

invita a la inauguración
de la exposición fotográfica
"Riquezas culturales y naturales de México"

❧

en la Sala de exposiciones
del Instituto de Cultura

❧

Av. Centenario núm. 10, col. Centro,
Jueves 4 de marzo de 2010,
19:30 horas.

Logros del proyecto

En este proyecto leíste poemas de diversos autores, identificaste los sentimientos que expresan los poetas y seleccionaste algunos poemas para presentarlos en un recital.

- ¿Sentiste nervios al declamar? ¿Por qué? ¿Cómo lo resolviste?
- ¿Cómo lograste transmitir los sentimientos que manifiesta el poema?
- ¿En qué situaciones de tu vida podrías dedicar alguno de los poemas leídos? ¿Cuál?

Comenten:

- ¿Qué datos debe incluir una invitación para que llegue a la persona indicada?
- ¿En qué parte de la invitación se deben anotar estos datos?
- ¿Qué palabras son adecuadas para elaborar una invitación formal?

Redacten un borrador de la invitación e intercámbienlo con otros compañeros para revisar que los datos estén completos y que no tenga faltas de ortografía.

Revisen las palabras al final de los renglones; si no caben en el renglón deben separarse, esto se hace por sílabas. Recuerden cómo se dividen las palabras en sílabas.

Cada equipo debe hacer una invitación, ponerla en un sobre con los respectivos datos y entregarla a sus invitados.

Producto final

Todo el grupo declamará sus poemas el día y la hora consignados en la invitación; recuerden la secuencia en la que participarán los declamadores para que no haya equivocaciones. ¡Disfruten los poemas!

Autoevaluación

Es tiempo de que revises lo que has aprendido después de trabajar en este proyecto. Lee cada enunciado y marca con una palomita (✓) la opción con la cual te identificas.

	Lo hago muy bien	Lo hago a veces y puedo mejorar	Necesito ayuda para hacerlo
Identifico los sentimientos que evocan los poemas.			
Reconozco el contenido de un poema cuando lo leo con detenimiento.			
Descubro el placer de la declamación de poemas pues logro manifestar mis emociones y sentimientos.			
Distingo las rimas en los poemas.			

	Lo hago siempre	Lo hago a veces	Necesito ayuda para hacerlo
Acepto colaborar con mis compañeros.			
Me esfuerzo al trabajar en las actividades.			

Me propongo mejorar en: _____

_____

PROYECTO: Establecer criterios de clasificación y comparación de la información contenida en publicidad escrita, etiquetas y envases comerciales

El propósito de este proyecto es analizar anuncios impresos para identificar las características y utilidad de los anuncios publicitarios y las etiquetas de productos comerciales, a fin de fomentar el consumo responsable.

Aquí aprenderás cómo se presenta la publicidad que te induce al consumo, y reflexionarás cómo consumir de manera más inteligente.

Para este proyecto necesitarás:

- Revistas
- Etiquetas y envolturas de productos que se hayan utilizado en casa o en la escuela
- Envases limpios de distintos productos

Lo que conozco

Algunas personas usan productos que eligieron sólo por su publicidad, sin tomar en cuenta la calidad, la seguridad, el costo y otros factores igualmente importantes.

- ¿Cómo puedes aprender a escoger un producto adecuado?
- ¿Cómo comparar calidad y precio?
- ¿Dónde puedes conseguir esa información?
- ¿Cómo son los anuncios publicitarios?

Para tomar decisiones acertadas es importante estar informado. En equipo lean el siguiente texto y coméntenlo:

Consumidores inteligentes

Todos somos consumidores, pues necesitamos productos y servicios, pero hay que saber elegir.

La Procuraduría Federal del Consumidor (Profeco) recomienda verificar siete aspectos para un consumo inteligente:

1 Consumo **consciente.** El consumidor sabe lo que necesita y conoce sus derechos y obligaciones.

2 Consumo **informado.** El consumidor compara calidad y precio, piensa antes de gastar. Antes de decidir la compra, valora si el producto o servicio cubre necesidades reales y los beneficios que traerán a su vida, a su familia y a su comunidad.

3 Consumo **crítico.** El consumidor es crítico ante la publicidad y la moda, se valora y valora a los demás por lo que son y no por lo que tienen. Elige y conserva lo que necesita y le gusta.

4 Consumo **sustentable.** El consumidor cuida el ambiente al elegir productos ecológicos, ahorra energía y agua; separa la basura, camina en vez de usar el auto y no desperdicia.

5 Consumo **saludable.** El consumidor lleva una alimentación balanceada, hace ejercicio, duerme bien, no se automedica y evita fumar.

6 Consumo **solidario.** El consumidor prefiere productos artesanales o de proveedores que traten a sus empleados de manera justa y que cuiden el ambiente.

7 Consumo **activo.** El consumidor se organiza con otros consumidores e instituciones como Profeco para defender sus derechos y exigir calidad.

www.profeco.gob.mx

En grupo, organicen siete equipos e intégrate en uno. Con la orientación de su maestro, cada equipo trabajará uno de los siete aspectos del consumo inteligente.

Analicen si el aspecto que les tocó a su equipo tiene una aplicación en su vida y en la de su familia. Anota tus comentarios en el cuaderno. Explíquenlos al resto del grupo.

A buscar

Ya sabes qué es el consumo inteligente, ahora debes revisar anuncios impresos para entender por qué resultan tan atractivos y provocan que las personas consuman un producto, aunque no sea necesario ni conveniente.

Los anuncios publicitarios están compuestos por dos elementos: la imagen y el texto. Pero ¿qué características tienen estos mensajes según los productos que ofrecen? ¿Qué elemento predomina, el texto o la imagen? ¿Qué características tienen estas imágenes y estos textos?

Los anuncios

Con tu equipo, consigan varias revistas, identifica algunos anuncios publicitarios y seleccionen uno que ofrezca alimentos, otro de productos para la higiene y el cuidado personal (por ejemplo, cremas, jabones, desodorantes, maquillajes) y uno más que presente productos para limpieza del hogar (detergentes o limpiadores líquidos, entre otros). Revisen los siguientes elementos en cada anuncio. Anoten en su cuaderno sus observaciones:

- *Personas que aparecen*. A veces puede ser un personaje público (actor, conductor o una persona muy conocida).
- *Colores empleados*. ¿El anuncio tiene varios colores? ¿Estos son llamativos? ¿Qué color se usa más? ¿Qué sensación creen que provoca ese color?
- *Frase principal*. Generalmente, se usa un *eslogan* o expresión repetitiva que identifica una idea o un producto.
- *Otro texto*. Algunos anuncios tienen un texto breve sobre las características del producto que ofrecen. ¿Qué dice ese texto adicional?
- *Público a quien se dirige*. Algunos productos se dirigen a todo tipo de personas, pero otros están dirigidos a sectores específicos: amas de casa, adultos, jóvenes, niños. Por ejemplo, un anuncio de juguetes, ¿a quién está dirigido? ¿A qué público se dirige cada uno de los anuncios que revisaron?

Completa la tabla con la información que obtuvieron.

	Personas que aparecen en el anuncio	Colores que se utilizan en el anuncio	Frase principal o eslogan	Otro texto en el anuncio	Público a quien se dirige el anuncio
Anuncio de alimentos					
Anuncio de productos para la higiene y el cuidado personal					
Anuncios de productos para limpieza del hogar					

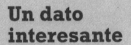

Un dato interesante

Uno de tus derechos como consumidor es que la publicidad en etiquetas, instructivos y servicios que utilices presenten información completa, clara y sobre todo veraz, para que te permita elegir la opción que más te conviene.

Los consumidores tienen derecho a la *compensación*, esto quiere decir que, si un producto no cumple con todo lo que promete, el consumidor puede pedir que se devuelva su dinero, que se disminuya el precio o que se repare el producto adquirido.

En equipo repartan varios anuncios a cada uno. Comenten al resto del grupo sus características, y cómo los elementos analizados permiten decidir su consumo.

Una vez que presentaron lo observado en los anuncios, comenten con todos los siguientes aspectos:

- ¿Cuál es el objetivo de un anuncio publicitario?
- ¿Qué características consideras que debe tener?
- ¿Los productos que se anuncian ofrecen beneficios reales en sus mensajes?

Las etiquetas

Pidan en casa recipientes vacíos de algunos productos que usan para la limpieza, la higiene y la alimentación.

Es tiempo de analizar los envases, las envolturas y etiquetas de los productos que recolectaron. Procuren que estén limpios.

Formen equipos pequeños y repartan el material. Clasifíquenlo de acuerdo con el tipo de producto de que se trata.

Una vez clasificados los envases y las etiquetas, lean la información que contienen. ¿Es fácil de comprender? ¿Menciona los ingredientes que contienen? Si se trata de productos de limpieza o de higiene y cuidado personal, ¿indica cómo usar el producto? ¿Qué precauciones de uso tiene? ¿Su tamaño es legible?

En caso de alguna duda o aclaración sobre el producto es importante saber quién lo fabrica y distribuye. ¿Esa información se incluye en la etiqueta? ¿Qué otros datos puedes encontrar?

Revisen el cuadro con el que analizaron los anuncios de las revistas. ¿Las etiquetas y envases de los productos contienen la misma información?

Señalen las similitudes y diferencias entre un anuncio y una etiqueta del mismo producto.

Ya saben que los anuncios publicitarios sirven para promover un producto. ¿Para qué sirven las etiquetas que vienen en el envase?

Escriban en su cuaderno las conclusiones del equipo y compártanlas con el resto del grupo.

Producto final

¿Por qué las personas prefieren cierta marca? Elegir el producto más conveniente puede resultar difícil, para que esto no suceda es importante leer las etiquetas y comparar los precios de productos similares.

- Busquen entre las etiquetas que consiguieron dos tipos de productos similares, por ejemplo, jabón de distintas marcas, e investiguen los precios de cada uno.
- Trabajen en pares o tríos y elaboren en su cuaderno una tabla en la que comparen datos como precio, cantidad, presentación, entre otros, de acuerdo con las características de los productos que están analizando.

Recuerda que no se trata sólo de comprar el producto más barato o el más popular. Algunos datos para decidir qué comprar son la cantidad que debe usarse de acuerdo con las instrucciones del envase, la calidad, el impacto ambiental que puede provocar (por ejemplo, si tiene muchas envolturas, se produce más basura), entre otros aspectos.

¿De qué forma pueden establecer cuál producto de los que están comparando es el más conveniente? Discutan con sus compañeros los criterios que seguirán para comparar antes de elaborar su cuadro.

Expliquen a sus compañeros las razones por las que un producto resultó mejor que otro, y elabora con todo el grupo una lista de los que resultaron más convenientes. Apoyen sus observaciones con los siete aspectos para un consumo inteligente.

Anoten en el pizarrón los resultados y pasen su lista en limpio.

Lleven la lista a casa para que sirva como guía de consumo y comenta con tu familia lo que aprendiste durante este proyecto.

También tu familia puede ser productiva. Si realizan una lista muy bien pensada de los artículos que realmente necesitan, aprovechan mejor el dinero y evitarán desperdiciar.

Logros del proyecto

Después de analizar los mensajes de los anuncios publicitarios y las etiquetas de los productos.

- ¿Qué opino sobre los anuncios publicitarios?
- ¿Me resulta fácil comparar diversos productos de un mismo tipo para elegir la mejor opción? ¿Qué identifico en ellos?
- ¿Comprendo la información que viene en las etiquetas e identifico la utilidad y conveniencia de los productos? ¿Cómo uso esta información al elegir qué comprar?
- Agrega comentarios o sugerencias sobre el consumo inteligente.
- Elijan uno de los análisis para publicarlo en el periódico escolar.

Autoevaluación

Es tiempo de que revises lo que has aprendido después de trabajar en este proyecto. Lee cada enunciado y marca con una palomita (✓) la opción con la cual te identificas.

	Lo hago muy bien	Lo hago a veces y puedo mejorar	Necesito ayuda para hacerlo
Identifico la información de las etiquetas en los productos que utilizo.			
Valoro el contenido de los anuncios publicitarios para saber qué es lo que más conviene.			
Identifico los recursos que se utilizan en un anuncio.			
Comparo la información de las etiquetas de distintos productos.			

	Lo hago siempre	Lo hago a veces	Necesito ayuda para hacerlo
Soy un consumidor inteligente.			
Acepto las observaciones de mis compañeros a mi trabajo.			

Me propongo mejorar en:_____

_____

Evaluación del bloque III

Lee el siguiente texto.

El atleta dijo sentirse muy contento por los triunfos obtenidos, además afirmó que seguirá entrenando para continuar brindando buenos resultados. Al preguntarle sobre un mensaje que le gustaría darle a los jóvenes dijo: "Que hagan ejercicio y lleven una vida saludable".

Subraya la opción correcta.

1. La cita textual en esta entrevista es:
   a) Además afirmó que seguirá entrenando.
   b) "Que hagan ejercicio y lleven una vida saludable".
   c) Dijo sentirse muy contento.
   d) Un mensaje que le gustaría dar a los jóvenes.

2. Esta entrevista se encuentra en:
   a) Diálogo
   b) Diálogo indirecto
   c) Monólogo
   d) Diálogo formal

3. La palabra *viento* rima con:
   a) Cuenta
   b) Reloj
   c) Amigo
   d) Contento

4. Los datos que debe incluir una invitación son:
   a) Fecha, lugar, hora y remitente
   b) Fecha, lugar y motivo de la invitación
   c) Motivo de la invitación y fecha
   d) Lugar, hora y remitente

5. La frase principal de un anuncio publicitario se llama:
   a) Anuncio
   b) Eslogan
   c) Etiqueta
   d) Membrete

IV

BLOQUE

PROYECTO:

Rearmar un artículo de revista o una nota enciclopédica

El propósito de este proyecto es identificar la estructura de textos expositivos para organizar sus elementos en un texto propio que será publicado en el periódico escolar.

En este proyecto trabajarás con textos expositivos, que son los más comunes en el ámbito escolar. Este tipo de escritos contiene datos, explicaciones, descripciones, ilustraciones y ejemplificaciones.

Son textos expositivos las monografías y los artículos que se encuentran en las enciclopedias y en los libros de texto, o en revistas especializadas que se dedican a la difusión del conocimiento.

Para este proyecto necesitarás:
- Cartulinas
- Tijeras
- Pegamento
- Textos de divulgación científica de varios temas

Lo que conozco

Organicen una lluvia de ideas.

- ¿Qué tipo de información contiene una enciclopedia?
- ¿Cómo se localiza la información en una enciclopedia?
- ¿Qué es una monografía?
- ¿Cuáles son sus características?
- ¿Has leído alguna revista de divulgación científica?
- ¿Cuál?

De acuerdo con las características de este tipo de textos, comenten cuáles de sus libros contienen textos expositivos y por qué lo consideran así.

Formen equipos; cada uno trabajará con un libro de texto distinto: Historia, Ciencias Naturales, Formación Cívica y Ética, y Geografía.

Consulta en...

Para conocer más sobre la ciencia, además de leer con cuidado tus otros libros de texto, podrías consultar los siguientes sitios electrónicos:

http://www.ciencianet.com
http://www.comoves.unam.mx
http://www.sepiensa.org.mx

Mi diccionario

Comenta las palabras nuevas que encuentres en los textos. Verifica si las entiendes. Una vez que tengas claros sus significados, incorpóralas a tu diccionario personal.

Revisen el libro de la asignatura que les tocó para localizar textos expositivos y seleccionen, con ayuda de su maestro, un tema o capítulo con el que van a trabajar. Anótenlo en su cuaderno.

A partir del título del tema elegido comenten: ¿De qué se tratan las páginas seleccionadas?

Ahora, lean el texto completo y comprueben su predicción. Si fue acertada, ¿cómo descubrieron de qué se trata el tema?

Señalen con su profesor y compañeros en una sesión plenaria, por medio de una lluvia de ideas, dónde se pueden localizar las fuentes de información sobre los temas que cada equipo seleccionó.

Comenten qué son y dónde se pueden localizar las fuentes informativas: revistas, enciclopedias y libros.

Localicen otros libros o revistas que traten el tema que les tocó y llévenlos al salón de clases.

Compartan con su equipo los materiales que encontraron y:

- Elaboren en su cuaderno un cuadro sinóptico del tema seleccionado. Para ello localicen las palabras clave en cada uno de los libros o revistas que consiguieron.
- Anoten si los materiales que seleccionaron contienen los elementos señalados en la tabla de la página siguiente. Si los tienen, describan brevemente cada uno de ellos.

Ciclones tropicales

Los ciclones tropicales son las tormentas más violentas que puede experimentar un marino; en aguas de las Antillas se denominan huracanes; al este de la India y en aguas del Japón se conocen con el nombre de tifones, en el Océano Índico (Bahía de Bengala) ciclones; cerca de las costas australianas *willy-willies*, y por las de Filipinas, baguios. Técnicamente son todos ciclones tropicales; en América es normal referirse a ellos con el nombre de huracanes (que es la etapa más intensa de un ciclón) o ciclones tropicales.

La palabra huracán se deriva de *Huraken*, dios de las tormentas, adorado por los indios ribereños del mar Caribe y aplicado a los vientos tropicales de violencia catastrófica. Esta palabra fue adoptada por los españoles y portugueses, los anglosajones la interpretaron como "hurricane" y los franceses como "orugan".

Los ciclones del hemisferio norte se generan en los océanos Atlántico y Pacífico, entre los 5° y 15° de latitud, y se desplazan hacia el oeste. Se presentan durante la época cálida, cuando las temperaturas del mar son del orden de 26° C.

http://www.cenapred.unam.mx/es/Investigacion/RHidrometeorologicos/Fenomenos-Meteorologicos/CiclonesTropicales/

Un dato interesante

El vocabulario científico generalmente está construido con palabras latinas y griegas. A veces los investigadores le dan su propio nombre, por ejemplo, Kepler o Newton. ¿Sabes quiénes son estos personajes? Son dos científicos importantes que le pusieron su propio nombre a sus descubrimientos.

¿Qué son las nubes?

Las nubes son masas de aire que contienen millones de gotitas de agua. Tienen formas diversas y se encuentran a diferentes alturas. Algunas pueden verse aquí.

Los cirros se encuentran a mucha altura y están formados por diminutos cristales de hielo. Su existencia suele indicar proximidad de lluvia.

Los cumulocirros constituyen una señal de tiempo inestable.

Los cumulonimbos a menudo traen tormentas de truenos, lluvia, nieve o granizo.

Los cúmulos aparecen en cielos soleados, de verano.

El estrato es una baja capa de nubes que traen llovizna.

La niebla son nubes a nivel de suelo.

10. ¿Cuáles son las nubes más altas?
11. El esmog es una mezcla de humo y:
   a) lluvia; b) olores; c) niebla.

¿Qué son los truenos y los relámpagos?

El relámpago calienta mucho el aire que atraviesa. Éste se expande violentamente, como una explosión, y produce un tueno seco. Abajo se explican las causas del relámpago.

En el interior de los cumulonimbus, partículas de agua y hielo se desplazan en corrientes de aire ascendentes y descendentes.

Como el agua y el hielo se frotan entre sí, se produce electricidad estática.

La electricidad se acumula hasta que se produce una chispa gigantesca. Esto se ve como un relámpago.

Puedes saber a qué distancia se halla la tormenta eléctrica contando el lapso entre el relámpago y el primer estampido de trueno. La distancia es de 2 km por cada cinco segundos.

12. Si escuchas tronar 10 segundos después de ver un relámpago, ¿a qué distancia se halla la tormenta?

13. ¿Dónde hay más tormentas eléctricas: en el ecuador o en los polos?

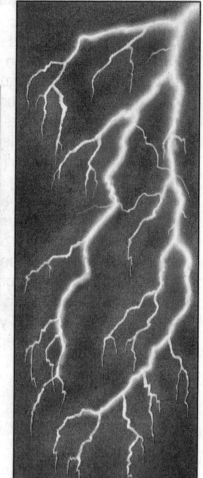

¿Qué son los huracanes y los tornados?

Un huracán es una tormenta violenta, con fuertes vientos y lluvia. Sobre los océanos cálidos se forman zonas de muy baja presión. El aire cálido y húmedo gira en el centro de la zona de baja presión y causa los fuertes vientos. El aire cálido asciende y el vapor de agua que contiene se transforma en nubes y abundantes precipitaciones.

14. Los huracanes poseen ojos. ¿Verdadero o falso?

Un tornado es como un huracán más pequeño. Es un embudo de aire arremolinado y ascendente que gira. Los vientos en un tornado alcanzan los 500 km por hora. Arrastran lo que encuentran a su paso, incluso personas, animales y automóviles.

15. Los tornados pueden llevare trenes. ¿Verdadero o falso?

Seleccionen una página del tema que les tocó. Reprodúzcanlo para que puedan recortarlo.

Separen los siguientes elementos: títulos, subtítulos, fotografías, si las hay.

Coloquen los textos sin los títulos, subtítulos e imágenes en un sobre e intercámbienlo con el de otro equipo.

Ahora armen cada rompecabezas.

Elaboren en su cuaderno un cuadro sinóptico como el de la derecha, con el título y los subtítulos del texto.

| **Tema** (título principal) | **Subtema 1** (título primario o subtema) |
| | **Subtema 2** (título secundario o subtema) |

Producto final

- Discutan con todo el grupo qué hace falta en un tema para que se entienda mejor.
- Comenten: ¿para qué sirven las gráficas, las ilustraciones y los esquemas en un texto? ¿Cómo es que la información que contienen, en ocasiones, es tan importante como el texto, o más?
- Armen el texto con los títulos y subtítulos elegidos. Acomoden las piezas para que el texto sea claro. Péguenlo en una cartulina.
- Intercambien con otro equipo su trabajo, opinen y den sugerencias en cuanto a la organización del texto.
- Incorporen las sugerencias de sus compañeros para mejorar su trabajo y preséntenlo por medio de una breve exposición al resto del grupo.
- Expliquen cómo realizaron este trabajo, argumentando las razones que les permitieron encontrar la información, comprenderla y usarla para la organización del texto.
- Organicen sus trabajos por temas y publíquenlos en el periódico escolar.

■ Recopila, con ayuda de todo el grupo, algunos textos expositivos que hayas revisado durante este proyecto y que te hayan parecido interesantes, e incorpóralos a la Biblioteca de Aula; recuerda anotar los datos de donde los obtuviste.

Logros del proyecto

Para llevar a cabo este proyecto elaboraste cuadros sinópticos, rearmaste un texto expositivo e identificaste su estructura. Además identificaste los tipos de oraciones en un texto expositivo.

● ¿En qué te basaste para proponer títulos y subtítulos en el texto que rearmaste?
● ¿Cómo te sirvió el cuadro sinóptico para organizar el texto?
● ¿Cómo identificaste el lugar adecuado para colocar las imágenes?

Autoevaluación

Es tiempo de que revises lo que has aprendido después de trabajar en este proyecto. Lee cada enunciado y marca con una palomita (✓) la opción con la cual te identificas.

	Lo hago muy bien	Lo hago a veces y puedo mejorar	Necesito ayuda para hacerlo
Identifico los datos más importantes en los textos expositivos.			
Relaciono la información que tomo de distintas fuentes.			
Identifico las partes de un texto expositivo: título, subtítulos, texto e ilustraciones.			

	Lo hago siempre	Lo hago a veces	Necesito ayuda para hacerlo
Soy tolerante con todos los que piensan diferente.			
Dejo hablar a los otros y los escucho con atención.			

Me propongo mejorar en: _____

_____

Ámbito: Literatura

PROYECTO: Escribir una narración a partir de la lectura de un cuento, fábula o leyenda de la literatura indígena mexicana

El propósito de este proyecto es leer y comprender narraciones de la literatura indígena mexicana, para crear nuevas historias y presentarlas a la comunidad escolar.

Para este proyecto necesitarás:
- Cuentos y leyendas de literatura mexicana

Lo que conozco

Los antiguos pobladores de México consignaron en códices sus conocimientos y sus historias. Algunos han sido traducidos y publicados en su idioma; así se preservó un impresionante legado.

Durante este proyecto conocerás cuentos y leyendas pertenecientes a la tradición indígena, en la que el respeto a la naturaleza, la explicación atribuída a los fenómenos naturales y la sabiduría de estos pueblos tienen un papel principal.

Los pueblos antiguos han buscado siempre explicaciones a los fenómenos naturales y a los comportamientos humanos, con imaginación y sorpresa. De aquí surgieron mitos y leyendas que forman parte del pasado del México de hoy.

Para comprender a los pueblos indígenas hay que acercarse a sus mitos y sus leyendas, su pasado, y observarlos como parte importante de nuestro pueblo.

Comenta qué conoces sobre los cuentos y leyendas de origen indígena.

- ■ ¿Qué temas encuentras en esta literatura?
- ■ ¿Conoces alguna leyenda indígena que explique el origen de algo (el Sol, el fuego, los volcanes, el maíz)? Comenta la historia que conozcas.

Lee el siguiente texto de la literatura indígena mexicana.

Tecuciztécatl y Nanahuatzin Mito náhuatl

Los antiguos mexicas creían que alguna vez la Luna había brillado tanto como el Sol, pero que luego fue castigada. Ésta es la historia que contaban los viejos sobre el nacimiento del Sol y la Luna.

Antes de que hubiese día en el mundo, cuando aún era de noche, se juntaron todos los dioses en Teotihuacán, su ciudad, y se sentaron formando un círculo.

—¿Quién se encargará de alumbrar el mundo? –preguntaron.

Entonces Tecuciztécatl, que era muy rico y muy bien vestido, se puso de pie.

—Yo tomo el cargo de alumbrar el mundo –dijo.

—¿Quién será el otro? –preguntaron los dioses.

Pero nadie respondió, nadie quería tomar la carga. Uno a uno fueron bajando la cabeza hasta que sólo quedó el último, un dios pobre y feo, lleno de bubas y llagas, que se llamaba Nanahuatzin.

—Alumbra tú, bubosito —le dijeron.

—Así será —respondió Nanahuatzin mientras bajaba la cabeza—. Acepto sus órdenes como un gran honor.

Antes de poder convertirse en soles para alumbrar el mundo, los dos dioses tenían que hacer regalos y ofrendas. Para ello les construyeron dos gigantescos templos en forma de pirámide que aún ahora se pueden ver en Teotihuacán.

Cada uno se sentó arriba de su pirámide y estuvo ahí cuatro días, sin comer ni dormir.

Tecuciztécatl ofrendó plumas hermosas de color azul y rojo, pelotas de oro y espinas rojas de coral de mar. Nanahuatzin no pudo regalar nada tan hermoso: en vez de plumas ofreció yerbas atadas entre sí, ofrendó pelotas de heno en lugar de pelotas de oro y regaló espinas de maguey pintadas de rojo con su propia sangre. Mientras los dos dioses hacían penitencia, los otros prendieron una inmensa fogata en la cumbre de otro templo.

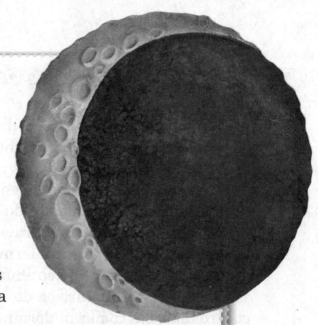

Cuando terminó su penitencia, Nanahuatzin y Tecuciztécatl arrojaron al aire las cosas que habían ofrendado y bajaron de sus templos. Poco antes de la medianoche los otros dioses los vistieron para que se arrojaran al fuego. Tecuciztécatl se puso prendas de fina tela y un tocado de plumas; Nanahuatzin iba vestido con un maxtlatl y un tocado de papel. Era el momento esperado. Todos los dioses se sentaron alrededor de la inmensa fogata y Nanahuatzin y Tecuciztécatl se acercaron cada uno por su lado.

—Tecuciztécatl, brinca tú primero –ordenaron los dioses.

Tecuciztécatl se aproximó al fuego con paso firme, pero se detuvo cuando vio las inmensas llamas y sintió el calor abrasador. Otra vez volvió a intentarlo, pero tampoco pudo arrojarse a la fogata. Los dioses lo contemplaron en silencio hasta que hizo su cuarto intento. Entonces lo detuvieron.

—Ningún dios puede hacer más de cuatro intentos. Has perdido. ¡Que venga Nanahuatzin!

El buboso caminó rápidamente y se arrojó al fuego sin detenerse un instante. Entonces el fuego comenzó a sonar y rechinar. En cuanto lo vio entrar a las llamas, Tecuciztécatl sintió tanta envidia que corrió tras él y se arrojó a su lado. Detrás de ellos entraron un águila y un tigre. Desde entonces esos animales tienen manchas negras en las plumas y en la piel.

Después de que Nanahuatzin y Tecuciztécatl se quemaron en el fuego, los dioses se sentaron a esperar que saliera el Sol. Cuando el cielo se iluminó de color rojo, como se ilumina al alba, los dioses se pusieron de rodillas para saludar al nuevo astro. No sabían bien por cuál rumbo había de aparecer. Unos decían que por el Norte, otros por el Sur. Sólo el dios Ehécatl, el Señor del Viento, supo que el Sol debía aparecer por el Este y se arrodilló en esa dirección.

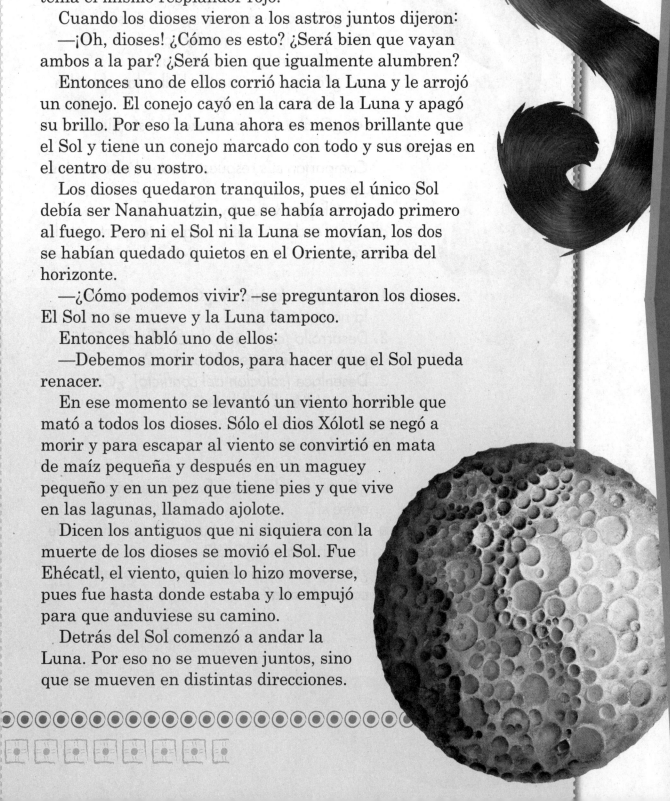

Cuando salió el Sol, que era Nanahuatzin, se veía muy colorado, parecía que se contoneaba de una parte a la otra. Brillaba tanto que nadie lo podía mirar directamente. Pero poco después apareció la Luna, que era Tecuciztécatl, que brillaba tanto como él y tenía el mismo resplandor rojo.

Cuando los dioses vieron a los astros juntos dijeron:

—¡Oh, dioses! ¿Cómo es esto? ¿Será bien que vayan ambos a la par? ¿Será bien que igualmente alumbren?

Entonces uno de ellos corrió hacia la Luna y le arrojó un conejo. El conejo cayó en la cara de la Luna y apagó su brillo. Por eso la Luna ahora es menos brillante que el Sol y tiene un conejo marcado con todo y sus orejas en el centro de su rostro.

Los dioses quedaron tranquilos, pues el único Sol debía ser Nanahuatzin, que se había arrojado primero al fuego. Pero ni el Sol ni la Luna se movían, los dos se habían quedado quietos en el Oriente, arriba del horizonte.

—¿Cómo podemos vivir? –se preguntaron los dioses. El Sol no se mueve y la Luna tampoco.

Entonces habló uno de ellos:

—Debemos morir todos, para hacer que el Sol pueda renacer.

En ese momento se levantó un viento horrible que mató a todos los dioses. Sólo el dios Xólotl se negó a morir y para escapar al viento se convirtió en mata de maíz pequeña y después en un maguey pequeño y en un pez que tiene pies y que vive en las lagunas, llamado ajolote.

Dicen los antiguos que ni siquiera con la muerte de los dioses se movió el Sol. Fue Ehécatl, el viento, quien lo hizo moverse, pues fue hasta donde estaba y lo empujó para que anduviese su camino.

Detrás del Sol comenzó a andar la Luna. Por eso no se mueven juntos, sino que se mueven en distintas direcciones.

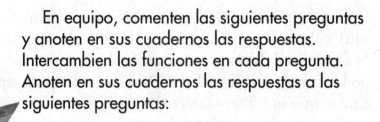

En equipo, comenten las siguientes preguntas y anoten en sus cuadernos las respuestas. Intercambien las funciones en cada pregunta. Anoten en sus cuadernos las respuestas a las siguientes preguntas:

a) ¿Para qué se reunieron los dioses?

b) ¿Qué significa que Tecuciztécatl ofrendara cosas preciosas?

c) ¿Por qué no eran tan bellas las ofrendas de Nanahuatzin?

d) ¿Cuál es la enseñanza de esta historia?

Compartan sus respuestas con el resto de los equipos.

Identifiquen y subrayen con un color diferente cada una de las siguientes partes de la narración:

1. Inicio *(estado inicial).* ¿Cómo comienza la narración?

2. Desarrollo *(aparición del conflicto).* ¿Qué problema se pretende resolver?

3. Desenlace *(solución del conflicto).* ¿Cómo se resuelve el problema?

En esta leyenda:

■ ¿Cómo se relacionan los acontecimientos entre sí?

■ ¿Tienen alguna consecuencia las acciones de los personajes? ¿Cuál?

■ ¿Por qué esta consecuencia se convierte en causa de otra?

En el siguiente cuadro señala la relación que
hay entre los acontecimientos de la narración.

Causas	Consecuencias
1. Porque los dioses preguntaron quién se encargaría de alumbrar el mundo...	Tecuciztécatl dijo que él podía hacerlo.
2. Tecuciztécatl dijo que él podía hacerlo...	
3.	
4.	
5.	

Busquen en su casa, en la biblioteca del aula de la
escuela, o en internet, algunos cuentos, leyendas o mitos de
la literatura indígena mexicana. Si es posible, inviten a una
persona de la comunidad que pueda contarles leyendas
o relatos. Escuchen su narración. Después, escriban en su
cuaderno su propia versión del relato presentado e ilústrenlo.
Compartan su historia con sus compañeros.

De los relatos que les contaron, contesten en equipo las
siguientes preguntas:

- ¿Consideran que lo que cuenta el relato, realmente ocurrió?
- ¿Cómo son los personajes en la historia?
- ¿Qué otro final podría tener la historia?
- ¿La historia tiene una enseñanza? ¿Cuál es?

Revisen en su versión del relato cómo emplearon los tiempos
verbales.

Los relatos generalmente se escriben en pasado, pues se
refieren a algo que sucedió o pudo haber sucedido.

Identifica en el siguiente texto cómo están usados los tiempos verbales.

Leyenda nahua del Sol y la Luna

"Antes de que hubiera día en el mundo, se reunieron los dioses en Teotihuacán. ¿Quién alumbrará el mundo? –preguntaron.

Un dios arrogante que se llamaba Tecucizté-catl, dijo:

—Yo me encargaré de alumbrar el mundo. Iban a presenciar el sacrificio de Tecuciztécatl y Nanahuatzin, entonces dijeron:

—¡Ea pues, Tecuciztécatl! ¡Entra tú en el fuego! Hizo el intento pero no pudo. Los dioses dijeron:

—¡Ea pues, Nanahuatzin! ¡Ahora, prueba tú! Y este dios, cerrando los ojos, se arrojó al fuego…"

En el texto que acaban de leer, señalen con un color las partes que corresponden a la voz del narrador y marquen con un color diferente los diálogos de los personajes.

Comparen el tiempo verbal entre los enunciados de los dos colores, y platiquen con el grupo qué variaciones hay entre ellos.

Comenten qué función tienen, en los diálogos de los personajes, el uso de guiones y signos de admiración.

Identifiquen el uso del acento gráfico en los verbos en pasado, en primera y tercera persona: "Lo que pasó, pasó". "Él se arrojó al fuego".

Intercambien su relato con otro compañero y revisen:

- Los acentos gráficos de los verbos que lo requieran.
- Los signos de interrogación y admiración en las oraciones que así lo ameriten.
- El guión para introducir los diálogos.

Si es necesario, corrijan su texto; escríbanlo en limpio en una cartulina para que el resto del grupo pueda leerlo.

Observen en su texto el uso de las mayúsculas y minúsculas. ¿Cuándo y para qué se usan las mayúsculas?

Revisen nuevamente el texto y verifiquen que las palabras que lo requieran estén escritas con mayúscula inicial.

Peguen en el salón su cartulina y presenten su texto a los demás compañeros.

Elaboren en su cuaderno un cuadro que contenga la siguiente información para que puedan crear historias nuevas.

Aspecto / texto	Narración 1	Narración 2	Narración 3	Narración 4...
Personaje principal	La anciana y las niñas			
Personajes secundarios	Los animales			
Espacio donde sucede	En un jardín vacío			
Qué pasó	Nacieron las flores			

Mezclen los aspectos de los cuadros, de forma que escriban una nueva historia basándose en los personajes y escenarios de otras narraciones. Para ello, planifiquen la manera en la que escribirán el texto:

1. Los personajes serán
_____

2. La historia ocurrirá en
_____

Para que la narración tenga una secuencia lógica, incluyan estos tres aspectos:

a) La historia empieza cuando:
_____
_____

b) El problema que se le presenta al personaje es:
_____
_____

c) El conflicto se soluciona cuando:
_____
_____

Escriban la narración en su cuaderno, una vez que hayan terminado; léanla nuevamente para verificar que el texto sea lógico y comprensible.

Intercambien su texto para revisarlo y corregirlo.

Es probable que al escribir, en el final del renglón no quepa la palabra completa; entonces, usa un guión para dividir en sílabas la palabra. Observen el siguiente ejemplo:

> Antes de que hubiera vida en el mundo se unieron los dioses en Teotihuacán.

Revisa la división silábica de tu escrito. Constata que hayas dividido adecuadamente las palabras en los casos necesarios.

Producto final

Localicen textos que pertenezcan a la literatura indígena mexicana, seleccionen algunos de ellos y llévenlos al salón.

Lee los textos en voz alta, cuidando la entonación y el volumen.

Recuerden que es necesario conocer los pensamientos, sentimientos y emociones de los personajes para identificarse y acercarse un poco a ellos.

Señalen los elementos que consideren importantes para mejorar la lectura en voz alta para presentarla en público.

Un dato interesante

El *Popol Vuh* es el libro sagrado de los indígenas quichés que habitan la zona maya, ahora ocupada por parte de Guatemala y el sureste de México. La historia cuenta el origen del mundo y de los indígenas mayas. No se conoce el nombre de su autor, pero por algunos datos tomados de la obra, se cree que quizá fue escrito hacia 1544. Originalmente fue escrito en piel de venado, luego fue transcrito al latín por Fray Alonso Portillo de Noreña. La versión española se realizó a partir de esta versión latina en 1701 (s. XVIII) por Fray Francisco Ximénez.

Un dato interesante

¿Conoces los alebrijes? Son figuras de papel o madera que representan animales imaginarios, formados con elementos de animales reales; por ejemplo: un perro con cola de ratón, nariz de elefante, patas de pato y plumas de color rojo.

Logros del proyecto

Con las actividades realizadas comprendiste la estructura de los relatos en los textos de la literatura indígena mexicana; identificaste personajes, escenarios y situaciones que suceden en la historia contada y conociste acerca de la literatura indígena y sus manifestaciones.

- ¿Cómo lograste recrear la historia que escribiste, a partir de las historias leídas?
- ¿Qué opinas de los temas que tratan las narraciones de la literatura indígena mexicana?
- ¿Te gustaron estos relatos? ¿Por qué?

Trabaja en conjunto para preparar una "función" de lectura de textos de la literatura indígena mexicana.

Entre todo el grupo planeen la fecha y hora en que se llevará a cabo la presentación.

Elaboren con el resto del grupo un programa de presentaciones para el día señalado.

Escriban una invitación para sus familiares.

Elijan con su grupo al compañero que será el maestro de ceremonias y que se encargará de hacer la presentación de los lectores.

¡Buena suerte! ¡Que la jornada de lectura sea un éxito!

Autoevaluación

Es tiempo de que revises lo que has aprendido después de trabajar en este proyecto. Lee cada enunciado y marca con una palomita (✓) la opción con la cual te identificas.

	Lo hago muy bien	Lo hago a veces y puedo mejorar	Necesito ayuda para hacerlo
Identifico las características de los relatos de la literatura indígena mexicana.			
Reconozco los aspectos relevantes de los personajes de las narraciones indígenas.			
Relaciono las partes de la narración: inicio, conflicto y solución.			
Establezco las relaciones lógicas de causa-efecto en las narraciones.			

	Lo hago siempre	Lo hago a veces	Necesito ayuda para hacerlo
Participo en el trabajo en equipo.			
Respeto las opiniones de mis compañeros y las incorporo en mi trabajo.			

Me propongo mejorar en: _____

_____

PROYECTO: Explorar y llenar formatos

El propósito de este proyecto es conocer diversos formatos para comprender su función y aprender a llenarlos. Para esto, reconocerán distintos formatos de uso cotidiano y sus características, para poder enviarlos a sus destinatarios usando el servicio postal o el correo electrónico. Revisarán algunos documentos para los que se usan formatos, con el fin de que identifiquen cómo se consultan sus datos: tu acta de nacimiento, la credencial de la escuela y tu cartilla de vacunación.

Para este proyecto necesitarás:
- Formatos diversos

Lo que conozco

- ¿Para qué son útiles los formatos?
- ¿Qué formatos has llenado?
- ¿Cuáles datos te han solicitado?
- ¿De dónde los obtienes?
- ¿Qué datos debes proporcionar cuando se te solicita tu domicilio?

De visita a la biblioteca

Para el préstamo de libros de las bibliotecas se llena un formato que permite identificar tanto el libro que se presta, como la persona que lo solicita. Llena el siguiente formato para solicitar el préstamo a domicilio de un libro de la biblioteca:

Biblioteca   Ficha de préstamo a domicilio _____   Folio núm.

Datos del lector
Apellidòs _____   Nombre (s) _____
Domicilio _____
Teléfono _____   Correo electrónico _____

Datos del libro
Autor _____
Título _____
_____ Vol. _____

Fecha de salida ___/___/___ Entrega ___/___/___ _____
                Firma de recibido

En ocasiones usamos diminutivos para nombrar a las personas, por ejemplo: Eli y Güicho; estos son apelativos o llamadas afectuosas, pero no son realmente nombres. Por eso, los nombres completos se toman del documento que da la identidad a la persona: su acta de nacimiento.

En los formatos es muy importante escribir el nombre tal y como aparece en el acta de nacimiento, para evitar confusiones.

Organízate con tus compañeros para traer al salón diversos formatos. Revísalos y comenta con el grupo para qué sirven y cómo se llenan.

¿Encontraste algunos formatos que tienen palabras de letras mayúsculas juntas o con "pedacitos" de palabras?

Los primeros se llaman siglas y tienen la función de identificar visualmente instituciones u organizaciones; los segundos son abreviaturas, que funcionan para ahorrar espacio.

Te presentamos un formato de identificación personal, el cual resulta útil en caso de emergencia, ya que tiene tus datos personales.

Cópialo en una tarjeta, llénalo y dáselo a tu familia para que lo conserve junto con otros documentos tuyos.

Asegúrate de que cada integrante de tu familia cuente con uno.

FICHA DE IDENTIFICACIÓN

FOTO

NOMBRE COMPLETO: _____

_____

FECHA DE NACIMIENTO: _____

COLOR DE CABELLO:

_____

COLOR DE OJOS:

_____

edad	peso	estatura

TIPO DE SANGRE:

_____

Adhiere con cinta transparente varios cabellos con raíz para la identificación del ADN

SEÑAS PARTICULARES (MARCAS, CICATRICES):

_____

Huellas digitales de la mano derecha   Huellas digitales de la mano izquierda

En equipo, comenten dónde, cuándo y para qué han tenido que llenar algún formato, ustedes o algún familiar.

Revisen los formatos que trajeron y seleccionen algunos para llenar la siguiente tabla. Anoten en las casillas los datos que solicita cada formato.

Datos	Formato			
	Cartilla de Vacunación	Acta de Nacimiento		
Nombre				
Domicilio				
CURP				
Fecha				
Grado escolar				
Costos				
Otros nombres				
Otros datos				

Comenten con todo el grupo:

- ¿Cómo se deben anotar los datos en los formatos?
- ¿Cuál es la importancia de escribir el nombre completo, tal como aparece en el acta de nacimiento?
- ¿Por qué se anotan primero los apellidos, a pesar de que el acta de nacimiento inicia por el nombre?
- ¿Para qué sirven los formatos?
- ¿Qué es la CURP?

Después de llenar la tabla, en grupo, comenten en qué se parecen y en qué son distintos los formatos revisados.

Llenen con un lápiz, revisen que los datos estén anotados adecuadamente; si es necesario, soliciten la asesoría de su profesor. Si los datos están correctos, escríbanlos con tinta negra para que se puedan leer más claramente.

Llena con lápiz este formato. Recuerda que los datos deben ser precisos; por ejemplo, día, mes y año de nacimiento (11-04-2004). Usualmente en los formatos no se escriben los nombres de los meses, se usa el número que le corresponde a cada mes.

Escuela primaria "Guillermo Prieto"
Ficha de inscripción

Nombre del alumno: _____

Lugar de nacimiento: _____ Fecha de nac.: _____/_____/_____

CURP: _____ Tipo de sangre: _____

Alérgico: Sí ( ) No ( ) A qué: _____

Domicilio particular

Calle: _____ Núm. ext.: _____ Núm. int.: _____

Colonia: _____

C.P.: _____ Delegación: _____

Tel. particular: _____ Celular: _____

Nombre del padre: _____

Teléfono: _____ Ocupación: _____

Domicilio particular: _____

Lugar de nacimiento: _____ Fecha de nac.: _____/_____/_____

Nombre de la madre: _____

Teléfono: _____ Ocupación: _____

Domicilio particular: _____

Lugar de nacimiento: _____ Fecha de nac.: _____/_____/_____

Tecnología al alcance

Antes de que existiera el correo, había personas que llevaban mensajes escritos de un lugar a otro. Cuando se organizó el correo postal, las cartas se comenzaron a enviar por ese medio, también había telegramas, que llegaban más rápido que las cartas y que debían ser muy breves.

Ahora, en algunos lugares, se emplea más el teléfono y el correo electrónico, pues son más rápidos.

Un dato interesante

En 2009 el Registro Civil en México cumplió 150 años. Antes de que existiera, el registro de nacimientos, matrimonios y defunciones los asentaba la Iglesia. Pero, durante el establecimiento de las Leyes de Reforma, Benito Juárez promulgó la Ley Orgánica por la que se crea el Registro Civil, delimitando claramente que es al Estado al que le corresponde registrar los datos de la organización de la sociedad.

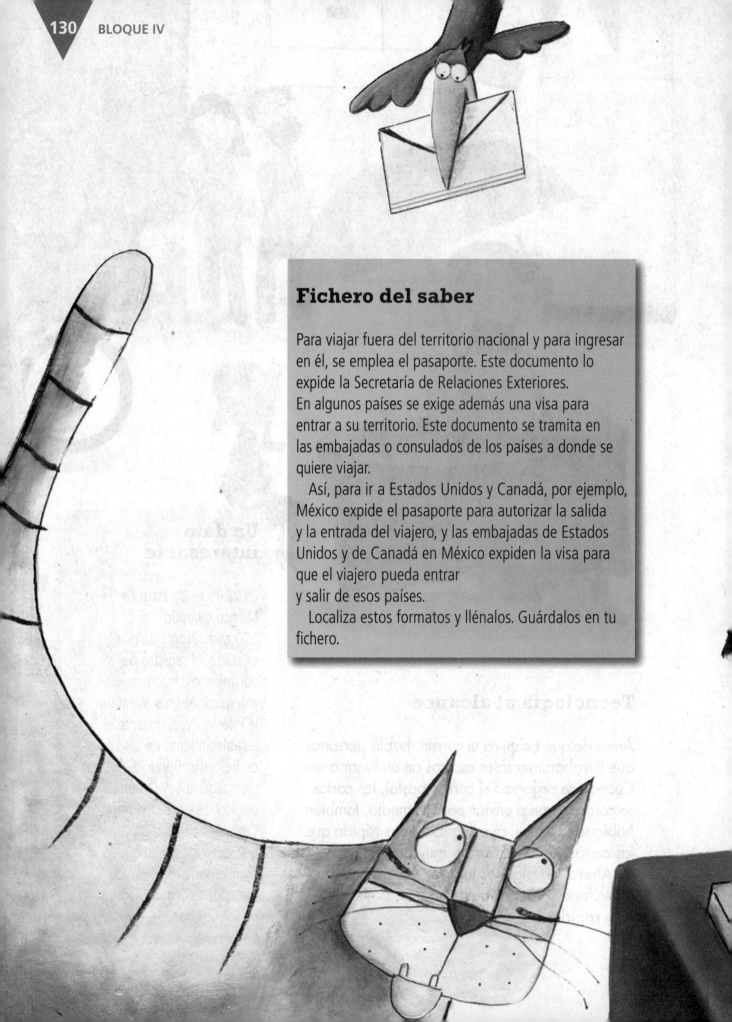

Fichero del saber

Para viajar fuera del territorio nacional y para ingresar en él, se emplea el pasaporte. Este documento lo expide la Secretaría de Relaciones Exteriores.
En algunos países se exige además una visa para entrar a su territorio. Este documento se tramita en las embajadas o consulados de los países a donde se quiere viajar.

Así, para ir a Estados Unidos y Canadá, por ejemplo, México expide el pasaporte para autorizar la salida y la entrada del viajero, y las embajadas de Estados Unidos y de Canadá en México expiden la visa para que el viajero pueda entrar y salir de esos países.

Localiza estos formatos y llénalos. Guárdalos en tu fichero.

Producto final

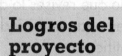

Ahora que ya sabes llenar formatos, reúnan todos los formatos de préstamo de biblioteca y revisa la información: ¿cómo están anotados los datos y el orden en que se presentan?

Si tuvieras que elaborar un formato de inscripción para un equipo deportivo, ¿qué datos tendrías que incluir?

Logros del proyecto

Comprendiste por qué es importante realizar una lectura completa de los formatos antes de llenarlos y para qué es necesario identificar los datos que se piden con mayor frecuencia en la mayoría de los formatos.

- ¿Qué formatos llenaste?
- ¿Cómo obtuviste los datos para llenarlos?
- ¿Se debe leer completamente un formato antes de llenarlo?
- ¿Qué datos solicitan con mayor frecuencia los formatos?

Autoevaluación

Es tiempo de que revises lo que has aprendido después de trabajar en este proyecto. Lee cada enunciado y marca con una palomita (✓) la opción con la cual te identificas.

	Lo hago muy bien	Lo hago a veces y puedo mejorar	Necesito ayuda para hacerlo
Identifico la información que usualmente se solicita en los formatos.			
Comprendo la función de los formatos.			
Distingo el significado de las reglas y abreviaturas que se usan comúnmente en los formatos.			
Escribo correctamente en los espacios de un formato.			

	Lo hago siempre	Lo hago a veces	Necesito ayuda para hacerlo
Asumo distintos roles en los equipos en que trabajo.			
Acepto las observaciones de mis compañeros para mejorar mi trabajo.			

Me propongo mejorar en:_____

_____

Evaluación del bloque IV

Lee el siguiente texto.

La ciencia se construye con base en la observación y la experimentación. A partir de estos dos elementos se forman modelos técnicos que explican algún fenómeno, ya sea natural o social. Estos modelos se presentan en forma de leyes. Por ejemplo, las leyes de Kepler.

Subraya la respuesta correcta.

1. La explicación que presenta el texto anterior se refiere a:
   a) cómo observar
   b) la importancia de la experimentación
   c) la construcción de la ciencia
   d) la expresión científica

2. La función de los modelos en la ciencia es:
   a) determinar cómo seguirlos
   b) dibujar cómo son las sociedades
   c) explicar fenómenos
   d) construir nuevos conocimientos

3. Las partes mínimas de una narración son:
   a) introducción, desarrollo y conclusiones
   b) inicio, aparición del conflicto y solución
   c) principio, desarrollo y señalamiento del conflicto
   d) hipótesis, experimentación y observación

4. Un conflicto en un texto narrativo es:
   a) el momento más difícil
   b) la situación que se busca resolver
   c) los problemas del lector
   d) las soluciones de los personajes

5. La utilidad de los formatos es:
   a) agilizar procesos administrativos
   b) que se pueden guardar
   c) que sirven para identificar a las personas
   d) que hay de muchas formas y tamaños

PROYECTO

Leer la obra de un autor y conocer datos biográficos del mismo

El propósito de este proyecto es elaborar una nota informativa acerca de un autor literario, que contenga elementos de su biografía y de su obra.

A lo largo de la historia de la literatura, muchas personas han dejado huella gracias a su obra. En este proyecto conocerás la vida y la obra de un autor de la literatura universal.

Puedes seleccionar a un autor de la lista que presentará tu maestro, o elegir uno que hayas conocido antes.

En este libro se ha seleccionado a Amado Nervo, autor mexicano representante del modernismo latinoamericano.

Para este proyecto necesitarás:
- Biografías de diversos autores

Amado Nervo fue un escritor fino y elegante. Escribió muchas narraciones, aunque se le conoce más por su poesía. Lee uno de sus cuentos.

El horóscopo

La quiromántica extendió las cartas.

—Veo aquí –dijo– un hombre rubio, que no le quiere a usted.

—Un hombre rubio… bueno, sí –respondió mi amigo, después de una pausa, durante la cual se puso a pensar en los hombres rubios que conocía. Y acercándose a mi oído:

—Ha de ser Pedro –me cuchicheó– la verdad es que nunca me ha querido bien…

Añadió la hechicera:

—Un hombre rubio… joven.

Afirmó mi amigo:

—¡Claro! ¡Pedro…!

La hechicera volvió a extender las cartas en abanico, después que mi amigo las hubo partido.

—Aquí hay una mujer que piensa en usted –dijo.

—Una mujer que piensa en mí…

—Sí, una mujer de cierta edad, de estatura mediana.

—Ya, ya caigo: ¡mi hermana María!

—Probablemente: es una señora vestida de negro. (Mi amigo lleva luto)

—¡Eso es, mi hermana!

Vuelve a cortar las cartas y a extenderlas:

—Trae usted un negocio en manos: un negocio que le interesa…

—¡Sí, sí; continúe usted!

—Se le presentan algunas dificultades… Veo aquí una, sobre todo. Pero las vencerá usted al fin. Hay que tener paciencia.

Mi amigo sonríe satisfecho.

—¡Admirable! –me murmura al oído.

—Hay que tener paciencia –repite la hechicera– y cuidarse del hombre rubio.

—¡Muy bien! ¡Muy bien!

—Tendrá usted, además, que hacer un largo viaje por mar. (La hechicera sabe que mi amigo es americano.) Ya ha hecho usted algún viaje de estos, penoso por cierto… El que tiene usted que hacer no dejará de serlo; pero llegará usted con bien.

Vuelve a cortar los naipes y a extenderlos.

—Veo aquí a un hombre que se interesa por usted. Está pensando en escribirle…

—¡Espléndido! –exclama mi amigo– debe ser Antonio.

—Veo, además, una herencia en el porvenir… No puedo decirle de cuánto, ni sé si es precisamente una herencia. Pero, en fin, las cartas hablan de dinero. Ya basta de cartas. ¿Cuándo nació usted?

—El doce de agosto de mil ochocientos setenta y tres.

—¡Magnífico! No pudo usted nacer bajo mejores auspicios… Déme usted la mano (examinándola). Tiene usted un carácter generoso… Una inteligencia despierta, lúcida… Ama usted lo bello. Las mujeres le prefieren (aunque a veces por pudor tengan que ocultarlo). Veamos la línea de la vida: es firme, segura, prolongada. Vivirá usted… ¡Ah!, aquí veo un pequeño surco transversal… ¡Accidente! ¡Posibilidad de accidente! Atienda usted a sus piernas, a su corazón y a su cabeza… Por allí puede venirle algún mal… También está usted expuesto a enamorarse… ¡Cuidado! Es usted hombre que haría una locura… Por lo demás, las líneas todas son tranquilizadoras, menos la del accidente… Tenga usted cuidado en los viajes. Se trata de un accidente que puede ocurrirle en un viaje… Sólo que, a juzgar por lo incierto y débil de la línea, es accidente evitable.

La quiromántica sonríe:

—El horóscopo de usted es fácil y claro –concluye– Nació usted bajo una favorable conjunción de astros.

Mi amigo se despide embelesado, dejándole dos luises.

—¡Estupefaciente! –exclama al salir.

Yo sonrío… como la quiromántica, y le digo:

—Cierto que, según afirma Carlos Nordmann, no puede caer sobre la tierra de un jardín el pétalo de una rosa sin que se altere el ritmo de la estrella Sirio… Pero no hay duda tampoco de que no urge ir hasta Sirio para hacer horóscopos como los de una mujer…

—¿No son acaso de una sorprendente sencillez?

—¡Ya lo creo!

—Y cuánta verdad encierra, ¿eh?

—¡Ya lo creo! ¡Ya lo creo!

El ángel caído y otros relatos, pról. Vicente Leñero,
México, SEP, 2008.

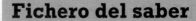

Comenta en equipo:

1. Qué tiene de creíble el cuento?
2. ¿Es posible identificar a las personas a quienes señala la quiromántica?
3. ¿Esto sucede en la actualidad?

A buscar

Revisen el cuento y comenten:

- ¿Cómo son los personajes?
- ¿Dónde están sucediendo los hechos?, ¿cómo imaginas ese espacio?

Localicen otros textos de Amado Nervo en su escuela o en internet.

Seleccionen por equipos uno de sus cuentos o poemas para leer en clase.

Comenten con el grupo qué características tienen en común los textos leídos. Realicen, entre todos, una tabla como la siguiente.

Agreguen tantas filas como cuentos y poemas se hayan reunido en clase.

Analicen con sus compañeros de equipo la información de la tabla y comenten las similitudes y diferencias entre los textos.

	Personajes	Escenarios	Tema	Mensajes	Tipo de lenguaje usado
Texto (cuento o poema) 1					
Texto 2					

Consideren en qué se parecen o si son diferentes los temas (de qué tratan), el tipo de personajes y la forma de escribir (la selección de palabras).

Fichero del saber

Reflexiona sobre el cuento que acabas de leer, ¿cómo señala el autor el cambio de diálogos?, ¿en qué parte del texto encuentras esos signos de puntuación?

Escribe en una ficha la utilidad del guión largo y copia un breve ejemplo.

Mi diccionario

Recuerda que puedes seguir enriqueciendo tu diccionario personal durante toda la primaria, con las palabras desconocidas que encuentres en los textos leídos.

Para saber más sobre el autor de los textos, busquen sus datos en las introducciones de los libros de Amado Nervo, en Internet o en libros de Historia de la Literatura y, a partir de esa información, contesten en su cuaderno el siguiente cuestionario sobre el autor.

- ¿Dónde y cuándo nació?
- ¿Qué estudió y en dónde?
- ¿Cuáles fueron las influencias en su obra?
- ¿Qué escribió?
- ¿Cuándo murió?

Con los datos del cuestionario, redacten la biografía del autor en un pliego de papel, agreguen una nota sobre el autor y su obra.

1. Lean la biografía que escribieron.
2. Escriban algunos comentarios sobre los distintos textos que leyeron de Amado Nervo; ayúdense con las siguientes preguntas.

- ¿Cómo son los personajes de los cuentos?
- ¿Qué sentimientos se expresan en los cuentos y los poemas?
- ¿Cómo son los escenarios donde se realizan las acciones de los personajes?
- ¿Cuál es el ambiente de los textos?

Ya revisaron la utilidad del guión largo para señalar el cambio de diálogos en una narración; pero, ¿qué signos de puntuación emplearían para citar un fragmento del texto? Comenten la respuesta entre sus compañeros.

Para citar textualmente lo que se dice en un escrito, se utilizan los signos de puntuación llamados comillas. Lee los siguientes ejemplos.

■ "Aquí hay una mujer que piensa en usted", el cliente respondió: "Una mujer que piensa en mí…"

Empleen citas textuales en la nota que elaborarán sobre la obra del autor que elijan.

El siguiente poema de Amado Nervo no tiene signos de puntuación. Colócalos y dales un significado. Anota los signos que te servirían para ello, elígelos de entre los siguientes: , ; . "" ¡! ¿? Para ayudarte, busca los espacios en blanco donde va alguno de los signos.

El celaje

_____ A dónde fuiste _____ amor _____ a dónde
fuiste?

Se extinguió en el poniente el manso fuego _____

y tú me decías _____ hasta luego _____

volveré por la noche _____ No volviste _____

_____ En qué zarzas tu pie divino heriste _____

_____ Qué muro cruel te ensordeció a mi ruego _____

_____ Qué nieve supo congelar tu apego

y a tu memoria hurtar mi imagen triste _____

_____ Amor _____ ya no vendrás _____ En vano,

ansioso _____ de mi balcón atalayado vivo

el campo verde y el confín brumoso _____

Y me finge un celaje fugitivo nave de luz en que

_____ al final reposo _____ va tu dulce fantasma

pensativo _____

Subraya los verbos del cuento "El horóscopo" y analízalos para descubrir qué emoción del personaje transmiten. Anota en tu cuaderno los verbos que indican sensaciones y sentimientos de los personajes y los que indican opiniones (afirmaciones). Utiliza como modelo el siguiente cuadro.

Enunciado que contiene al verbo	Sensación	Sentimiento	Opinión
No pudo usted nacer bajo mejores auspicios.	Satisfacción		
¡Ya lo creo! ¡Ya lo creo!		Incredulidad (es una afirmación irónica)	

A buscar

Elijan a un autor diferente a Amado Nervo de la lista que les dio su profesor, y trabajen como lo han hecho con este autor:

1. Busquen su biografía y su obra literaria.
2. Localicen algunos de sus textos. Léanlos en equipo y elaboren comentarios.
3. Formulen preguntas para encontrar respuestas en los textos.

Con estos datos, elaborarán una nota informativa.

Un dato interesante

Amado Nervo fue considerado un poeta modernista. El modernismo fue mucho más que un movimiento literario, pues cambió la forma de ver el mundo. Este movimiento artístico surgió en América y fue el gran renovador del lenguaje.

Ha sido una de las grandes aportaciones de América al mundo.

Zarzas   transversal

atalayado

Quiromántica

Consulta en...

Puedes conocer más obras de otros autores en los siguientes sitios:

http://www.los-poetas.com
http://www.amadonervo.net
http://www.cervantesvirtual.com
http://www.biografiasyvidas.com

Producto final

Escriban una nota informativa sobre la vida y obra del autor elegido.

Comenta con tu equipo cómo se pueden introducir los diálogos en un texto; después, revisen el cuento "El horóscopo" de Amado Nervo, en donde aparecen los diálogos de los personajes.

Pueden emplear el siguiente *guión* de ideas para escribir el borrador de su nota informativa:

- Introducción (de qué va a tratar la nota: el qué).
- Los datos de la vida del autor tomados de su biografía.
- El significado de los mensajes que les dejan los textos.
- Conclusión (por qué es importante leer a este autor).

Revisen la nota informativa. Ya que esté lista, pásenla en limpio para publicarla en el periódico escolar.

Logros del proyecto

Comenta con tu grupo:

- ¿Qué similitudes y diferencias encontraste en la obra del autor?
- ¿Qué ideas importantes incluiste en la nota que escribieron sobre él?
- ¿Dónde localizaste los datos sobre el autor y su obra?

Autoevaluación

Es tiempo de que revises lo que has aprendido después de trabajar en este proyecto. Lee cada enunciado y marca con una palomita (✓) la opción con la cual te identificas.

	Lo hago muy bien	Lo hago a veces y puedo mejorar	Necesito ayuda para hacerlo
Identifico los datos que me proporciona un texto literario.			
Reconozco la información que debe contener una biografía.			
Distingo la estructura de los textos narrativos literarios.			

	Lo hago siempre	Lo hago a veces	Necesito ayuda para hacerlo
Trabajo en equipo con entusiasmo.			
Valoro las sugerencias de los compañeros para mejorar mis escritos.			

Me propongo mejorar en: _____

_____

Ámbito: Participación comunitaria y familiar

PROYECTO: Redactar noticias a partir de un conjunto de datos

El propósito de este proyecto es redactar una noticia a partir de relacionar diferentes datos. Una vez revisada la noticia, la publicarás en el periódico escolar. Para esto, reconocerás la estructura de las notas informativas y sus características.

Para este proyecto necesitarás:
- Noticias de distintos periódicos

Lo que conozco

En la actualidad es fácil enterarse de los acontecimientos de interés general a través de los diversos medios de comunicación.

Las noticias deben ser objetivas; esto quiere decir que se deben presentar los hechos tal cual sucedieron y evitar las opiniones personales acerca de lo ocurrido.

Comenta:

- ¿Qué noticias recientes recuerdas?
- ¿Dónde las escuchaste o viste?
- ¿Qué informaban?

Lee en voz alta la siguiente noticia; después, formen equipos y en su cuaderno elaboren una tabla como la de la página siguiente y respondan la pregunta.

Preocupan los resultados de los exámenes de PISA y Enlace

■ **La mayoría de la población escolar por debajo de la media en lectura.**

México, D.F. – Según los resultados de los exámenes de PISA y Enlace sobre competencia lectora, la mayoría de los mexicanos se coloca por debajo de la media afirmó la maestra Elius Soliano de la Universidad del Paraíso, en la entrevista que se realizó el jueves pasado.

Comentó que en una encuesta aplicada a varios maestros y padres de familia acerca del número de libros que leen al año, se obtuvo como resultado que el promedio oscila entre ninguno y uno. Ésta puede ser una de las causas por las que los niños muestran estas deficiencias en lectura. Es urgente, dijo, diseñar estrategias para acercar la lectura a la población mexicana. Los libros, afirmó, deben usarse todos los días.

¿Qué pasó?	
¿Cuándo y dónde pasó?	
¿Cómo pasó?	
¿Quiénes estuvieron involucrados?	
¿Por qué o para qué sucedió?	

Ahora, trabajen en parejas. Lean la siguiente noticia.

Inicia gira el grupo "Los Saltarines"

Presenta su nuevo disco "Enchiladas verdes"

Guadalajara, Jal.- El día de ayer, 30 de mayo, el grupo "Los Saltarines" comenzó una gira por varias ciudades de la República con un concierto masivo en esta ciudad para presentar su nuevo disco "Enchiladas verdes".

Los asistentes bailaron y corearon las canciones del grupo durante las casi dos horas que duró el concierto, el cual tuvo un lleno total.

La gira incluirá ciudades como Monterrey, Tijuana, Veracruz, Tuxtla Gutiérrez y el Distrito Federal. "Estamos muy contentos con la aceptación del público, pues toda nuestra música la hacemos con el fin de que les guste", comentó la vocalista del grupo.

Las dos noticias son distintas; sin embargo, ambas responden a las preguntas del cuadro. Comenten entre todo el grupo las similitudes y diferencias que encontraron en los dos textos.

Indiquen las características visuales de las dos noticias.

Las noticias

La noticia es la principal forma de dar a conocer algo que sucedió o está sucediendo.

Para que una noticia esté completa debe contestar las siguientes preguntas:

- ¿Qué sucedió?
- ¿Cuándo?
- ¿Dónde?
- ¿Cómo?
- ¿Quiénes estuvieron involucrados?
- ¿Por qué o para qué sucedió?

Al redactar las noticias los reporteros eligen el orden en que las responden. Para ello utilizan el formato conocido como pirámide invertida.

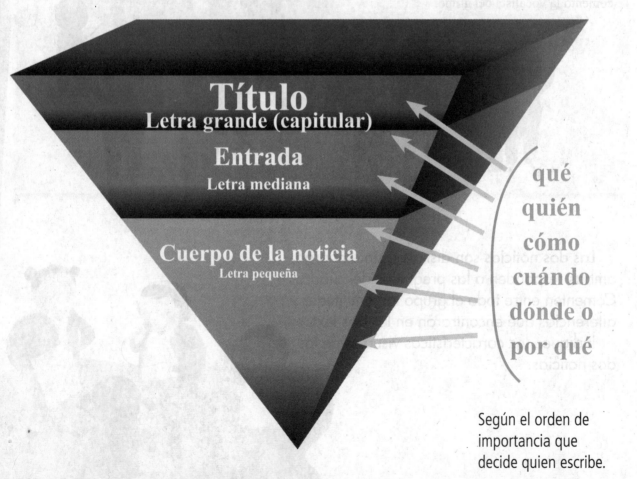

Título
Letra grande (capitular)

Entrada
Letra mediana

Cuerpo de la noticia
Letra pequeña

qué
quién
cómo
cuándo
dónde o
por qué

Según el orden de importancia que decide quien escribe.

Esto quiere decir que la información más importante acerca del suceso se encuentra al inicio de la nota, donde pueden responderse algunas de estas preguntas: ¿Qué? ¿Cómo? ¿Cuándo? ¿Dónde? ¿Quiénes estuvieron involucrados? ¿Por qué o para qué sucedió? En los párrafos siguientes se dan los datos que completan la información acerca de lo que pasó.

Cuando los reporteros escriben su nota siguiendo este formato tienen la intención de que el lector se entere en general de lo que pasó con sólo leer el primer párrafo.

Para redactar mejor

Lean el siguiente fragmento de la noticia y contesten sobre las líneas:

> La gira incluirá ciudades como Monterrey, Tijuana, Veracruz, Tuxtla Gutiérrez y el Distrito Federal.

Este fragmento corresponde a un párrafo; todo párrafo debe comenzar con letra

_____

y finalizar con _____ .

Revisen las palabras que aparecen con mayúsculas; si se fijan, todas corresponden a nombres de ciudades. ¿Qué signos de puntuación se emplean para enlistarlas? ¿Por qué?

_____

Cuando se anotan varios elementos en una oración, éstos deben ir separados por

_____

Ahora que ya conoces la forma en la que los reporteros redactan una noticia, es tu turno para escribir. Lee los siguientes datos y completa el cuadro con ellos:

- para reforestar.
- "Estamos conscientes de la importancia de sembrar un árbol", comentó uno de los alumnos.
- 3 de junio (ayer).
- en su escuela.
- Alumnos de 4° grado de la escuela (nombre de la escuela).
- plantaron árboles.

¿Qué pasó?	
¿Cuándo y dónde pasó?	
¿Cómo pasó?	
¿Quiénes estuvieron involucrados?	
¿Por qué o para qué sucedió?	

¿Qué?

¿Cuándo?

¿Quién?   ¿Cómo?

¿Dónde?   ¿Por qué?

Trabajen en parejas. Escriban una noticia con los datos del cuadro. Revisen que esté en tercera persona.

Recuerden que deben seguir el formato de la pirámide invertida, es decir, incluyendo la información más importante al inicio del párrafo.

También al escribir una noticia se trata de ser lo más objetivo posible; es decir, presentar los hechos sin dar opiniones sobre ellos.

Una noticia debe redactarse en tercera persona del singular o plural (dijeron, sembró, etcétera). Esto quiere decir que el narrador siempre está afuera de los acontecimientos.

Una vez terminada la redacción de la noticia, elijan un título o encabezado que represente la idea general.

Seleccionen entre todo el grupo la noticia que haya redactado alguna pareja para escribirla en el pizarrón.

- Lean la noticia en voz alta y realicen sugerencias para mejorar la redacción.
- Revisen que la noticia incluya las ideas más importantes al principio; y al final, los datos que sirvan de complemento.
- Corrijan la ortografía y la puntuación de la noticia.
- Eliminen las ideas repetitivas.
- Lean la versión final de la noticia.

Fichero del saber

Una forma para revisar la ortografía es identificar las palabras que pertenecen a una misma familia. De una palabra genérica, por ejemplo, casa, se forman otras palabras como caserío, casero, casita, entre otras.

Forma algunas familias de palabras e inclúyelas en tu fichero.

Señala en ellas las letras que permanecen.

¡A jugar con las palabras!

Con este juego recordarán palabras de la misma familia léxica.

1. Lancen una bola de estambre. El primero en lanzarla hacia las manos de un compañero debe decir: "Un navío, navío cargado de..." ¡mano!

2. El alumno que recibe la bola debe decir una palabra de la misma familia léxica: "¡Manita!", y la lanza a otro compañero.

3. Cuando agoten las palabras de la misma familia pueden seguir con otras: pan, carne, comida, tienda.

Ahora todos ustedes serán correctores de estilo.

- Intercambien con otra pareja la noticia que escribieron.
- Señalen con algún color las faltas de ortografía o la ausencia de algún signo de puntuación.
- Escriban con otro color las sugerencias a los autores para mejorar su texto: estructura piramidal, ideas claras e información completa.

Regresen el escrito a sus compañeros y realicen las modificaciones que les sugieran hacer en el suyo. Luego de hacer las correcciones necesarias en su texto, léanlo de nuevo para verificar que esté bien escrito.

Producto final

Entre todo el grupo seleccionen algunas noticias para publicarlas en el periódico escolar. Anoten los nombres de los autores y correctores.

Revisen que sean objetivas, su orden de importancia, la claridad y el uso de la tercera persona.

También pueden redactar una noticia sobre un acontecimiento en su escuela (un premio que haya ganado un alumno, una ceremonia importante o alguna exposición realizada por compañeros de otros grados).

Consulta en...

Si quieres revisar otros formatos de noticias, consulta los siguientes sitios:

http://www.agn.gob.mx
http://www.cambio_climatico.ine.gob.mx
http://www.presidencia.gob.mx

Logros del proyecto

Comenta con tu grupo:

- ¿Cómo se emplea el formato de pirámide invertida?
- ¿Qué hiciste para lograr objetividad en tu noticia?
- ¿Qué elementos debe tener una noticia?
- ¿Cuál es la estructura y el formato de las noticias de los periódicos?

Autoevaluación

Es tiempo de que revises lo que has aprendido después de trabajar en este proyecto. Lee cada enunciado y marca con una palomita (✓) la opción con la cual te identificas.

	Lo hago muy bien	Lo hago a veces y puedo mejorar	Necesito ayuda para hacerlo
Leo noticias e identifico la organización de los datos en pirámide invertida.			
Reconozco los datos que contiene una noticia.			
Distingo en las noticias los acontecimientos y las personas involucradas.			
Identifico la redacción de párrafos en tercera persona.			

	Lo hago siempre	Lo hago a veces	Necesito ayuda para hacerlo
Respeto la opinión de mis compañeros.			
Resuelvo conflictos sin violencia.			

Me propongo mejorar en: _____

_____

Evaluación del bloque V

Subraya la opción correcta.

1. Para elaborar una nota informativa sobre un escritor es necesario:
   a) conocerlo en persona
   b) investigar sobre sus intereses
   c) descubrir cómo es que escribió su obra
   d) resumir información sobre su vida y su obra

2. Una nota informativa sirve para:
   a) demostrar lo que es cierto
   b) mejorar la redacción
   c) dar a conocer algo o alguien
   d) saber dónde se encuentra un lugar

3. La forma de organizar la información en una noticia es:
   a) piramidal
   b) pirámide invertida
   c) de mayor a menor
   d) de más cercano a más lejano

4. Los poemas se caracterizan por:
   a) contar historias
   b) describir fenómenos
   c) expresar sentimientos
   d) presentar acontecimientos

Bibliografía

Alonso, Martín, *Diccionario moderno del español*. Madrid, Aguilar, 1978.

Así cuentan y juegan en el sur de Jalisco. México, CONAFE, 1998. p. 57

Burgos, Fernando, *Antología del cuento hispanoamericano*. México, Porrúa, 2002 (Sepan cuántos..., 606).

Campbell, Federico, *Periodismo escrito*. México, SEP-Santillana, 2005.

Juegos tradicionales latinoamericanos. A la Rueda, rueda... México, SEP/UNICEF, 1987. p. 182.

Montes de Oca, Francisco, *Ocho siglos de poesía en lengua castellana*. México. Porrúa, 2001, (Sepan cuántos..., 8) p. 419.

Nervo, Amado. *El ángel caído y otros relatos*. pról. Vicente Leñero. México, SEP, 2008, (Libros del Rincón).

Pintado Cortina, Ana Paula. *Tarahumaras.*
    México, CDI-PNUD, 2004.

Poesía para niños con los mejores autores.
    Madrid, Susaeta.

Rincón, Valentín. *Trabalenguario.* México, SEP/
    Nostra, 2006.

Sainz, Federico. *Diccionario del español.*
    Sinónimos y antónimos. Madrid, Aguilar,
    1985.

Teatro escolar representable 1. México, SEP-
    Arrayán, 2004 (Libros del Rincón).

Español.
Cuarto grado,
se imprimió por encargo
de la Comisión Nacional de
Libros de Texto Gratuitos, en los talleres
de Grupo Gráfico Editorial, S.A. de C.V.,
con domicilio en Calle B No. 8,
Parque Industrial Puebla 2000,
C.P. 72220, Puebla, Pue.,
en el mes de abril de 2011.
El tiraje fue de 3'132,050 ejemplares.

Impreso en papel reciclado

¿Qué opinas del libro?

Tu opinión es importante para que podamos mejorar este libro *Español. Cuarto grado*. Marca con una palomita (✓) en el espacio con la respuesta que mejor exprese lo que piensas.

1. ¿Te gustó tu libro?

   Mucho ☐   Regular ☐   Poco ☐

2. ¿Te gustaron las imágenes?

   Mucho ☐   Regular ☐   Poco ☐

3. ¿Las imágenes te ayudaron a entender las actividades?

   Mucho ☐   Regular ☐   Poco ☐

4. ¿Tuviste dificultad para conseguir los materiales?

   Siempre ☐   Casi siempre ☐   Algunas veces ☐

5. ¿Entendiste con claridad las instrucciones de las actividades?

   Siempre ☐   Casi siempre ☐   Algunas veces ☐

6. ¿Te gustaron las actividades propuestas?

   Siempre ☐   Casi siempre ☐   Algunas veces ☐

Las actividades te permitieron	Mucho	Regular	Poco
7. Expresarte y desarrollar tu creatividad	☐	☐	☐
8. Convivir con tus compañeros	☐	☐	☐

9. ¿Te gustaría hacer sugerencias a este libro?

   Sí ☐   No ☐

Si tu respuesta es sí, escribe tus sugerencias:

_____

_____

_____

¡Gracias por tu participación!

SEP

Dirección General de Materiales Educativos

Dirección de Desarrollo e Innovación de Materiales Educativos

Viaducto Río de la Piedad 507, cuarto piso,

Granjas México, Iztacalco,

08400, México, D. F.

Entidad: _____

Escuela: _____

Turno: Matutino ☐ Vespertino ☐ Escuela de tiempo completo ☐

Nombre del alumno: _____

Domicilio del alumno: _____

_____

Grado: _____